사고력 수학 전문가가 만든 원리셈

• 방정식의 계산 •

예비 중등 2권

**사고력 수학 전문가가 만든 연산교재
원리로부터 실력까지 연산의 완성!!
다양한 형태의 문제로 재미있게 연습하는 "원리셈"**

지은이의 말

수학은 원리로부터

수학은 구체물의 관계를 숫자와 기호의 약속으로 나타내는 추상적인 학문입니다. 이 점이 아이들이 수학을 어려워 하는 가장 큰 이유입니다. 이러한 수학은 제대로 된 이해를 동반할 때 비로소 힘을 발휘할 수 있습니다. 수학은 어느 단계에서나 원리가 가장 중요합니다.

수학 교육의 변화

답을 내는 방법만 알아도 되는 수학 교육의 시대는 지나고 있습니다. 연산도 한 가지 방법만 반복 연습하기 보다 다양한 풀이 방법을 중요하게 생각합니다. 교과서는 왜 그렇게 해야 하는지 가르쳐 주고 다양한 방법을 생각하도록 하지만, 학생들은 단순하게 반복되는 연습에 원리는 잊어버리고 기계적으로 답을 내다보니 응용된 내용의 이해가 부족합니다.

연산 학습은 꾸준히

유초등 학습 단계에 따라 4권~6권의 구성으로 매일 10분씩 꾸준히 공부할 수 있습니다. 원리와 다양한 방법의 학습은 그림과 함께 재미있게, 연습은 앱을 이용하여 시간을 재고 다른 학생들의 결과와 비교하면서 집중하여 공부할 수 있도록 했습니다. 부담 없는 하루 학습량으로 꾸준히 공부하다 보면 어느새 연산 실력이 부쩍 늘어난 것을 알 수 있습니다.

개정판 원리셈은

기존 원리셈의 원리와 다양한 풀이 방법은 유지하면서 연습도 충분할 수 있도록 하였습니다. 쉽고 재미있게 공부하도록 했던 처음의 기획 의도는 강조하고, 더 효과적으로 계산력도 키울 수 있습니다.

지은이 **천종현**

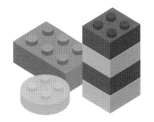

원리셈의 특징

원리셈의 학습 구성

한 권의 책은 매일 10분 / 매주 5일 / 5주 또는 6주 학습

원리셈의 시나브로 강해지는 학습 알고리즘

키즈 원리셈은

초등 원리셈은

학년 단계에 최적화된 구성

- 유아, 초등 저학년은 적은 양을 쉽고 재미있게 꾸준히 할 수 있도록!!
  - 단계별 교재의 수는 충분하게, 문제 수는 적절하게
- 학년이 올라갈수록 짧은 시간에 집중해서 마스터 할 수 있도록!!
  - 단계별 교재의 수는 적절하게, 문제 수는 충분하게
  - 주제별로 집중 연습 단원 "도전! 계산왕"

원리셈 단계별 학습 내용

원리셈은 연산 학습 단계에 따라 소재와 구성이 다릅니다.

키즈 원리셈(5·6세 단계~7·8세 단계)

- 쉽고 재미있는 연산 공부
- 단계별 6권, 5·6세 단계는 권별 4주 / 6·7세와 7·8세 단계는 권별 5주 구성
- 5·6세 단계의 매주의 마지막 5일차는 재미있게 사고력 키우기 "사고력 팡팡"
- 엘리베이터, 구슬, 사탕, 손가락과 같이 생활 속 소재로 문제 구성

1, 2학년 원리셈

- 단계별 6권, 권별 5주 구성
- 교과서와 같이 수 모형을 통한 원리 학습
- 수 막대, 수직선, 저울 등 다양한 응용 연산
- 5주차 마지막 단원은 집중 연습 "도전! 계산왕"

3, 4학년 원리셈

- 단계별 4권, 권별 6주 구성
- 원리 학습 → 다양한 계산 방법 → 연습
- 6단원 중 2개 단원은 집중 연습 "도전! 계산왕"

5, 6학년 원리셈

- 통합 학년으로 총 4권, 권별 6주 구성
- 6학년에서 연산의 비중이 적은 부분을 감안하여 5, 6학년 통합
- 원리 학습 → 다양한 계산 방법 → 연습
- 6단원 중 2개 단원은 집중 연습 "도전! 계산왕"

예비 중등 원리셈

- 중학교 1학년에서 어려움을 겪는 유리수의 혼합 계산과 방정식의 계산을 쉽게 공부할 수 있는 예비 중등 원리셈 단계 두 권
- 6단원 중 2개 단원은 집중 연습 "도전! 계산왕"

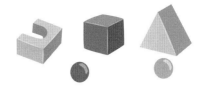

원리셈 전체 단계

키즈 원리셈

단계	구분	주제
5·6세	1권	5까지의 수
	2권	10까지의 수
	3권	10까지의 수 세어 쓰기
	4권	모아 세기
	5권	빼어 세기
	6권	크기 비교와 여러 가지 세기
6·7세	1권	10까지의 더하기 빼기 1
	2권	10까지의 더하기 빼기 2
	3권	10까지의 더하기 빼기 3
	4권	20까지의 더하기 빼기 1
	5권	20까지의 더하기 빼기 2
	6권	20까지의 더하기 빼기 3
7·8세	1권	7까지의 모으기와 가르기
	2권	9까지의 모으기와 가르기
	3권	덧셈과 뺄셈
	4권	10 가르기와 모으기
	5권	10 만들어 더하기
	6권	10 만들어 빼기

원리셈

단계	구분	주제
1학년	1권	받아올림/내림 없는 두 자리 수 덧셈, 뺄셈
	2권	덧셈구구
	3권	뺄셈구구
	4권	세 수의 덧셈과 뺄셈
	5권	□ 구하기
	6권	(두 자리 수)±(한 자리 수)
2학년	1권	두 자리 수 덧셈
	2권	두 자리 수 뺄셈
	3권	□ 구하기
	4권	곱셈
	5권	곱셈구구
	6권	나눗셈
3학년	1권	세 자리 수의 덧셈과 뺄셈
	2권	(두/세 자리 수)×(한 자리 수)
	3권	(두자리수)×(두자리수)/(두자리수)÷(한자리수)
	4권	(세자리수)÷(한자리수)/곱셈과 나눗셈의 관계
4학년	1권	큰 수의 곱셈과 나눗셈
	2권	분모가 같은 분수의 덧셈과 뺄셈
	3권	소수의 덧셈과 뺄셈
	4권	자연수의 혼합 계산
5·6학년	1권	약수와 배수
	2권	분모가 다른 분수의 덧셈과 뺄셈
	3권	분수의 곱셈과 나눗셈
	4권	소수의 곱셈과 나눗셈
예비 중등	1권	유리수의 혼합 계산
	2권	방정식의 계산

예비 중등 단계의 구성과 특징

유리수의 혼합 계산과 방정식의 계산은 중학교 수학을 공부하기 위해 반드시 필요한 내용이지만 많은 학생들이 어려워 합니다. 2권의 책으로 기본 개념부터 계산 훈련까지 체계적으로 연습할 수 있습니다.

원리

원리를 직관적으로 이해하고 쉽게 공부할 수 있도록 하였습니다.

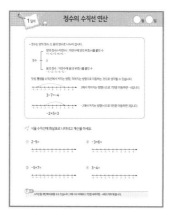 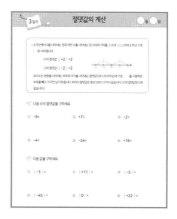

다양한 계산 방법

다양한 계산 방법을 공부함으로써 수를 다루는 감각을 키우고, 상황에 따라 더 정확하고 빠른 계산을 할 수 있도록 하였습니다.

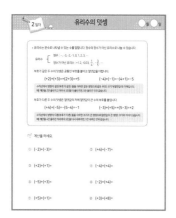 

기본 연습 문제를 중심으로 여러 형태의 문제로 지루하지 않게 반복하여 연습할 수 있도록 구성하였습니다.

집중 연습에 동기 부여가 되도록 앱을 이용하여 편리하게 시간을 측정하며 공부할 수 있습니다. 정확성과 빠른 계산을 위한 집중 연습으로 주제를 마무리합니다.

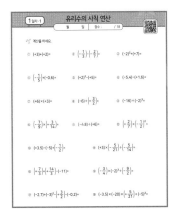

천종현수학연구소 앱을 이용하여 QR코드를 스캔하면 시간을 편리하게 재면서 공부할 수 있고, 다른 학생들의 평균 시간을 확인할 수 있습니다.

평균 시간은 실시간으로 바뀝니다. 시간은 정답률과는 무관한 참고 자료일 뿐, 반드시 시간 안에 풀어야 하는 것은 아닙니다.

매주차 마다 첫 페이지에 학부모를 위한 학습 가이드를 수록하였고, 내용에 따라서 아래에 학습 Tip를 제시하였습니다.

천종현수학연구소 앱의 도움을 받아보세요.

앱을 다운로드하고 회원 가입을 하세요. 회원을 구분할 수 있는 이메일 외에 어떤 개인 정보도 받지 않으며, 가족 한 명만 가입을 하고 사용자 등록을 하여 사용할 수 있습니다.

회원가입을 했다면 앱 사용 방법을 먼저 확인하고 활용해 보세요.

메뉴
사용자 등록, 연산 도전 내역, 동영상 시청 이력 등
여러 가지 메뉴 안내

QR코드 스캔
초등 원리셈의 '도전! 계산왕'의 시간을 재고 다른
친구들의 기록과 비교 가능

동영상 강의
천종현수학연구소의 동영상 강의를
카테고리별로 검색하여 시청 가능

연산 챔피언!
연산도 재미있게!!
연산의 가장 기본이 되는 덧셈, 뺄셈
연산 게임. 단, 하루에 도전은 3번만
가능

홈페이지
홈페이지의 회원은 앱 회원과 연동
되므로 별도의 회원 가입이 필요 없
이 자료실 이용 가능. 자료실에는 원
리셈 추가 문제, 연산 테스트지 등 다
운로드 가능

요청 및 상담
수학에 관해 궁금한 점 상담이나
동영상 강의 요청

앱 사용 방법
전반적인 앱의 사용 방법 안내

앱 화면:

?! 천종현수학연구소

생각하고 발견하는 수학

?!

동영상강의   QR코드 스캔

1+1=   연산 챔피언!

홈페이지   앱 사용 방법   요청 및 상담

앱 다운로드

1주차 동영상 강의 바로가기

1주차

문자를 사용한 식

문자로 식을 나타내는 규칙을 알고 문자를 사용한 식을 나타낼 수 있습니다. 비, 속력, 농도 등 문자로 식을 나타내는 구체적인 관계를 간단하게 배웁니다. 이 부분은 일차방정식의 활용을 공부하면서 좀 더 깊게 공부할 필요가 있습니다. 또, 문자에 수를 대입하여 식의 값을 구할 수 있도록 합니다.

1. 문자를 사용한 식에서 곱셈 기호는 생략합니다.

$$6 \times a = 6a \qquad x \times y = xy$$

다음 식의 곱셈 기호를 생략하여 나타내세요.

① $5 \times a =$ ② $a \times b =$ ③ $3 \times x \times y =$

2. (수) × (문자)에서 수를 문자 앞에 씁니다.

$$b \times (-2) = -2b \qquad x \times 7 \times y = 7xy$$

다음 식의 곱셈 기호를 생략하여 나타내세요.

④ $x \times (-3) =$ ⑤ $x \times y \times 2 =$ ⑥ $a \times 5 \times b =$

3. 같은 문자의 곱은 거듭 제곱으로 나타냅니다. 수가 여러 개 있으면 수끼리 계산합니다.

$$a \times a \times 2 \times b \times 3 = 6a^2b \qquad x \times y \times 2 \times x \times y \times 2 \times x = 4x^3y^2$$

다음 식의 곱셈 기호를 생략하여 나타내세요.

⑦ $a \times a \times b \times b =$ ⑧ $a \times x \times x \times 5 \times x =$ ⑨ $a \times b \times a \times a \times 3 \times ab =$

4. 1과 −1의 곱셈에서 1은 생략합니다.

$$a \times b \times 1 = ab \qquad x \times (-1) = -x$$

💡 다음 식의 곱셈 기호를 생략하여 나타내세요.

① $(-1) \times a \times b =$

② $x \times 1 \times x \times y =$

③ $a \times b \times a \times (-1) \times a =$

5. 괄호와 수의 곱, 또는 괄호와 문자의 곱에서 괄호를 뒤에 씁니다.

$$(a+3) \times 2 = 2(a+3) \qquad (x-1) \times y = y(x-1)$$

💡 다음 식의 곱셈 기호를 생략하여 나타내세요.

④ $(x-y) \times 4 =$

⑤ $(a+2b) \times a =$

⑥ $(x-y+1) \times 3 =$

6. 문자의 곱셈은 보통 알파벳 순서대로 씁니다.

$$b \times a \times a \times c = a^2bc \qquad z \times 3 \times x \times a = 3axz$$

💡 다음 식의 곱셈 기호를 생략하여 나타내세요.

⑦ $x \times x \times x \times a =$

⑧ $c \times a \times b \times b \times a \times c =$

⑨ $a \times a \times z \times a \times 2 =$

다음 식의 곱셈 기호를 생략하여 나타내세요.

① $a \times 2 =$

② $b \times (-1) =$

③ $z \times y \times x =$

④ $a \times a \times a =$

⑤ $a \times b \times 3 =$

⑥ $(x-y) \times 4 =$

⑦ $x \times (y+z) =$

⑧ $x \times y \times (2-z) =$

⑨ $a \times b + c \times 2b =$

⑩ $(a+b) \times h \times 3 =$

⑪ $(-a) \times a \times a \times (-b) \times (-1) =$

⑫ $(c+1) \times 6 - 3 =$

⑬ $(7+x) \times (7-x) =$

⑭ $x \times \dfrac{y}{3} \times x \times 3 =$

나눗셈 기호의 생략과 분수

월 일

1. 나눗셈 기호를 생략하고 분수로 나타냅니다.

$$a \div 3 = \frac{a}{3} \qquad\qquad x \div (y+1) = \frac{x}{y+1}$$

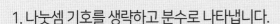 다음 식의 나눗셈 기호를 생략하여 나타내세요.

① $y \div 5 =$

② $(x-y) \div 4 =$

③ $(a+3b) \div x =$

2. 여러 수나 문자를 곱하거나 나눌 때는 나눗셈을 곱셈으로 고쳐서 생각하는 것이 편리합니다.

$$a \div b \div 2 = a \times \frac{1}{b} \times \frac{1}{2} = \frac{a}{2b} \qquad\qquad x \div y \times 3 = x \times \frac{1}{y} \times 3 = \frac{3x}{y}$$

다음 식의 곱셈 기호와 나눗셈 기호를 생략하여 나타내세요.

④ $x \div 3 \div y =$

⑤ $a \times 1 \div b =$

3. 분수와 문자의 곱셈의 형태가 될 때 (분수)×(문자)로 나타낼 수도 있고, 문자를 분자에 곱해서 나타낼 수도 있습니다

$$2 \div 3 \times a = \frac{2}{3}a = \frac{2a}{3} \qquad\qquad 3 \times (x+y) \div 5 = \frac{3}{5}(x+y) = \frac{3(x+y)}{5}$$

다음 식의 곱셈 기호를 생략하여 나타내세요.

⑥ $3 \times x \div 5 = \dfrac{\boxed{}}{5}\boxed{} = \dfrac{\boxed{}}{5}$

⑦ $(a-b) \div 4 \times 3 = \dfrac{\boxed{}}{\boxed{}}(a-b) = \dfrac{\boxed{}}{\boxed{}}$

다음 식의 곱셈 기호와 나눗셈 기호를 생략하여 나타내세요.

① $y \div 5 =$

② $x \div (-1) =$

③ $b \div c \div a =$

④ $a \div x \div x \div x =$

⑤ $0.1 \div a \div b =$

⑥ $(a+2b) \div b =$

⑦ $x \times y \div 5 =$

⑧ $c \times (x+y) \div a =$

⑨ $y \div x \times (3-z) =$

⑩ $a \div b \times c =$

⑪ $(a+b) \div h \times 2 =$

⑫ $ac \div (x-y) \times b \times 5 =$

⑬ $(a-b) \times 2 \div x \div b =$

⑭ $x \div y + c \times \dfrac{2}{3} \times b =$

다음 식의 곱셈 기호와 나눗셈 기호를 생략하여 나타내세요.

① $(c+1) \div 6 =$

② $(5+x) \div (2+x) =$

③ $a - b \div a + c =$

④ $x \div \dfrac{y}{2} + x \div 3 =$

⑤ $a \div b \div \dfrac{1}{c} =$

⑥ $a \div \dfrac{1}{b} \div \dfrac{1}{c} =$

⑦ $x \div y \times (5 - 3z) =$

⑧ $x \div y \times c \div \dfrac{1}{2} \times b =$

⑨ $z \times 2 \div (a+b) \div z =$

⑩ $(-b) \div (-1) \div (-a) =$

⑪ $\dfrac{1}{a} \div \left(b \div \dfrac{1}{c} \right) =$

⑫ $(a+b) \div h \times \dfrac{2}{3} =$

⑬ $x - y \times z \div 5 =$

⑭ $x \div \dfrac{1}{3} - (-4) \times (y+1) =$

- 문자를 사용하여 식을 세울 때는 주어진 문장을 문자를 사용한 식으로 나타낸 다음 곱셈 기호와 나눗셈 기호를 생략합니다.

  한 봉지에 500원인 과자 a 봉지와 한병에 700원인 음료수 b 병의 값

  → $500 \times a + 700 \times b$

  → $500a + 700b$

🐾 다음 문장을 문자를 사용한 식으로 나타내세요.

① a명에게 연필 50자루씩을 나누어 주었을 때 나누어 준 연필의 개수의 합

_____

② 시속 100 km로 자동차가 t시간 동안 달린 거리

_____

③ 한 변의 길이가 x cm인 정사각형 둘레의 길이

_____

④ 수학 점수가 a점, 영어 점수가 b점일 때, 두 과목의 평균 점수

_____

⑤ 길이가 a m인 끈을 3등분했을 때, 한 조각의 길이

_____

• x의 a%를 식으로 나타내면 다음과 같습니다.

$$x \times \frac{a}{100} = \frac{a}{100}x = \frac{ax}{100}$$

다음 문장을 문자를 사용한 식으로 나타내세요.

① 20000원의 a %

② x원의 30 %

③ a명의 학생 중 b %가 여학생일 때 여학생의 수

④ a명의 학생 중 b %가 여학생일 때 남학생의 수

⑤ 500 ml 중에서 a % 만큼의 부피

⑥ a ml의 물 중에서 b % 만큼이 증발했을 때 남은 물의 부피

- 평면도형의 둘레와 넓이, 입체도형의 부피와 겉넓이를 문자를 사용한 식으로 나타낼 수 있습니다.

  한 변의 길이가 a인 정육각형의 둘레 $\longrightarrow$ $6a$

  밑변의 길이가 a, 높이가 h인 삼각형의 넓이 $\longrightarrow$ $\dfrac{1}{2}ah = \dfrac{ah}{2}$

다음 문장을 문자를 사용한 식으로 나타내세요.

① 가로의 길이가 x, 세로의 길이가 y인 직사각형의 둘레의 길이

_____

② 한변의 길이가 a인 정사각형의 넓이

_____

③ 한 변의 길이가 x인 정십이각형의 둘레

_____

④ 가로의 길이가 a, 세로의 길이가 b인 직사각형의 넓이

_____

⑤ 마름모의 한 대각선의 길이가 a, 다른 대각선의 길이가 b일때 마름모의 넓이

_____

⑥ 밑변의 길이가 x, 높이가 h인 평행사변형의 넓이

_____

● 할인한 물건의 가격이나 거스름돈을 문자를 사용한 식으로 나타낼 수 있습니다.

정가가 a원인 물건을 b % 할인할 때의 판매 가격

$$\rightarrow \quad a \times \frac{100-b}{100} = \frac{a(100-b)}{100}$$

다음 문장을 문자를 사용한 식으로 나타내세요.

① 한 봉지에 a원인 과자 세봉지의 가격

_____

② 한 권에 1200원 하는 공책 x권을 사고 10000원을 냈을 때의 거스름돈

_____

③ 정가가 5000원인 물건을 x % 할인된 가격으로 샀을 때, 지불한 금액

_____

④ 한 자루가 a원인 볼펜을 50명에게 나누어 주었을 때 총 볼펜의 가격

_____

⑤ 한 병에 800원인 음료 a병과 한 병에 1000원인 음료 b병의 값

_____

⑥ 하나에 x원인 과일을 y % 할인할 때, 할인된 과일 5개의 가격

_____

$$(속력) = \frac{(거리)}{(시간)} \qquad (시간) = \frac{(거리)}{(속력)} \qquad (거리) = (속력) \times (시간)$$

200 m를 a분 동안 걸을 때의 속력

$$\rightarrow \quad 200 \div a = \frac{200}{a} (\text{m/분})$$

다음 문장을 문자를 사용한 식으로 나타내세요.

① 시속 80 km로 자동차가 t시간 동안 달린 거리

_____

② 시속 4 km로 a km를 달렸을 때, 걸린 시간

_____

③ t시간 동안 시속 100 km로 달린 거리

_____

④ 50 m를 x초 동안 걸을 때의 속력

_____

⑤ 100 km를 시속 a km의 속력으로 달렸을 때, 걸린 시간

_____

⑥ t초 동안 500 m를 달렸을 때의 속력

_____

$$\bullet \text{(소금물의 농도)} = \frac{\text{(소금의 양)}}{\text{(소금의 양)} + \text{(물의 양)}} \times 100\,(\%) = \frac{\text{소금의 양}}{\text{소금물의 양}} \times 100\,(\%)$$

$$\text{(소금의 양)} = \frac{\text{(소금물의 농도)}}{100} \times \text{(소금물의 양)}$$

물 200 g에 소금 a g을 넣었을 때의 농도 $\longrightarrow$ $\dfrac{a}{a+200} \times 100 = \dfrac{100a}{a+200}$

다음 문장을 문자를 사용한 식으로 나타내세요.

① 농도가 7 %인 소금물 x g속에 녹아 있는 소금의 양

_____

② 물 100 g에 소금 a g을 넣었을 때 소금물의 농도

_____

③ 소금 x g에 물 200 g을 넣었을 때 소금물의 농도

_____

④ 소금물 a g의 농도가 3 %일 때 소금의 양

_____

⑤ 물 a g에 소금 5 g을 넣었을 때 소금물의 농도

_____

⑥ 소금 x g에 물 50g 을 넣었을 때 소금물의 농도

_____

식의 값

- 문자를 사용한 식에서 문자에 어떤 수를 바꾸어 넣는 것을 대입이라고 합니다. 이때 식을 계산한 값을 식의 값이라고 합니다.

  식의 값을 구할 때는 다음에 유의합니다.

    ① 생략된 곱셈 기호를 다시 씁니다.
    ② 음수를 대입할 때는 괄호를 사용합니다.
    ③ 분모에 분수를 대입할 때는 (분자)÷(분모)로 바꾸어 계산합니다.

  $x = -2$ 일 때 $3x - 2$의 값은 ⟶ $3 \times (-2) - 2 = -6 - 2 = -8$

  $a = \dfrac{1}{2}$ 일 때 $\dfrac{1}{a} + 3$의 값은 ⟶ $\dfrac{1}{\frac{1}{2}} + 3 = 1 \div \dfrac{1}{2} + 3 = 1 \times 2 + 3 = 5$

다음 식의 값을 구하세요.

① $x = 2$ 일 때 $2x - 7$의 값

_____

② $x = -2$ 일 때 $3x^2 - 1$의 값

_____

③ $x = -2$ 일 때 $\dfrac{10}{x+4}$ 의 값

_____

④ $x = -3$ 일 때 $(-x)^2 - 4x$ 의 값

_____

⑤ $x = -2$ 일 때 $\dfrac{-x^2 - 4}{x}$ 의 값

_____

⑥ $x = -2$ 일 때 $\dfrac{-x^2}{-1-x}$ 의 값

_____

다음 식의 값을 구하세요.

① $a=3$, $b=-2$일 때 $2a-3b$ 의 값

_____

② $a=4$, $b=-2$일 때 $\dfrac{2 \times b}{a+1}$ 의 값

_____

③ $a=2$, $b=-2$일 때 $2ab$의 값

_____

④ $a=-1$, $b=-2$일 때 a^2-b^3의 값

_____

⑤ $a=-2$, $b=3$일 때 $3a-5b^2$의 값

_____

⑥ $a=\dfrac{1}{2}$, $b=-\dfrac{1}{3}$일 때 $\dfrac{6}{a+9b}$ 의 값

_____

⑦ $a=-\dfrac{1}{2}$, $b=\dfrac{1}{3}$일 때 $\dfrac{-8a-5}{b}$ 의 값

_____

😊 문제를 읽고 알맞은 답을 써 보세요.

① 초속 30 m로 하늘로 던진 물건의 t초 후의 높이는 $(30-5t^2)$ m입니다. 이 물건을 던지고 나서 2초 후의 높이는 몇 m입니까?

답 : _____

② 지면의 기온이 25 ℃일 때, 지면에서부터 높이가 x km인 곳의 기온은 $(25-6x)$ ℃라고 합니다. 지면에서부터 높이가 3 km인 곳의 기온은 몇 ℃입니까?

답 : _____

③ 기온이 x ℃일 때, 공기 중에서 소리의 속력은 초속 $(0.6x+331)$ m입니다. 기온이 15 ℃일 때, 소리의 속력은 초속 몇입니까?

답 : _____

④ 비만도 공식이 $\dfrac{w}{(h-100) \times 0.9} \times 100$일 때, 키가 150 cm, 몸무게가 45 kg인 사람의 비만도는 몇입니까? (단, h:키(cm), w:몸무게(kg))

답 : _____

⑤ 화씨온도 x °F는 섭씨온도로 $\dfrac{5}{9} \times (x-32)$ ℃입니다. 화씨온도 68 °F는 섭씨온도로 몇 ℃입니까?

답 : _____

2주차 동영상 강의 바로가기

2주차

식의 계산

동류항을 이해하고 식과 식을 계산하거나 복잡한 식을 간단히 할 수 있습니다.

식과 수의 곱셈, 나눗셈

- $2x$, $-3xy$, 7과 같이 수 또는 문자의 곱으로만 이루어진 식을 항이라고 합니다. 7과 같이 수로만 이루어진 항을 상수항, $2x$, $-3xy$와 같이 한 개의 항으로만 이루어진 식을 단항식, $2x - 3xy + 7$과 같이 1개 이상의 항으로 이루어진 식을 다항식이라고 합니다.

(단항식) × (수)의 계산은 수와 수를 곱하여 문자 앞에 씁니다.

$$2x \times (-3) = 2 \times x \times (-3) = -6x$$

(단항식) ÷ (수)의 계산은 나누기를 곱하기로 고쳐서 계산합니다.

$$4x \div 6 = 4 \times x \times \frac{1}{6} = \frac{2}{3}x$$

계산을 하세요.

① $3a \times (-4) =$

② $8y \div 2 =$

③ $(-9a) \div 3 =$

④ $5 \times 2a =$

⑤ $(-5y) \times 4 =$

⑥ $14b \div \left(-\dfrac{7}{8}\right) =$

⑦ $(-2x) \div \left(-\dfrac{1}{3}\right) =$

⑧ $(2b-3) \div \dfrac{1}{5} =$

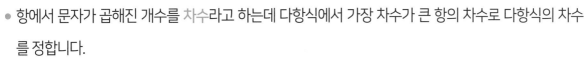

- 항에서 문자가 곱해진 개수를 차수라고 하는데 다항식에서 가장 차수가 큰 항의 차수로 다항식의 차수를 정합니다.

일차항 : $2x$, $\dfrac{y}{3}$　　　　이차항 : $2xy$, $\dfrac{-x^2}{3}$

일차식 : $2x-3$, $3y+1$　　　이차식 : $3xy-7$, $3-y+y^2$

(일차식) × (수)와 (일차식) ÷ (수)의 계산은 분배법칙을 써서 (+), (−)로 구분되는 일차식의 각 항에 수를 곱하거나 나눕니다. 이때 (수) ÷ (일차식)은 분배법칙을 적용할 수 없습니다.

$$3(2x-3)=3 \times 2x-3 \times 3=6x-9$$

$$(2x-1) \div 4=\dfrac{2x}{4}-\dfrac{1}{4}=\dfrac{x}{2}-\dfrac{1}{4}$$

계산을 하세요.

① $-2(5x-2)=$

② $(3-2y) \div 6=$

③ $2(3a-1)=$

④ $-3(2x+3)=$

⑤ $(12a+9) \div (-3)=$

⑥ $(6x+4) \div 2=$

⑦ $(-8x+12) \div 4=$

⑧ $(4b-6) \div \dfrac{1}{2}=$

Tip
다항식과 수의 곱셈은 부호에 특히 유의해야 합니다. (+) × (+) = (+), (−) × (+) = (−), (−) × (−) = (+)

🐰 계산을 하세요.

① $-(a-2)=$

② $-2(-x+3)=$

③ $(2x-4) \div 2=$

④ $(8x-4) \div (-4)=$

⑤ $-\dfrac{1}{2}(6a-2)=$

⑥ $3(2a+b)=$

⑦ $(a+b) \div 4=$

⑧ $(6x-9) \div 3=$

⑨ $(5a+10) \div \dfrac{5}{6}=$

⑩ $4(x+2y)=$

⑪ $(a-5) \div b=$

⑫ $-2(3x-2)=$

⑬ $12\left(\dfrac{x}{4}-\dfrac{5}{6}\right)=$

⑭ $(-4x+12) \div (-3)=$

동류항의 계산

- 곱해진 문자가 똑같은 항을 동류항이라고 합니다. 다항식에 동류항이 있으면 동류항끼리 계산하여 식을 간단히 할 수 있습니다.

$$3x-2x+7=(3x-2x)+7=x+7$$

$$2a+3-4a-6=(2a-4a)+(3-6)=-2a-3$$

계산을 하세요.

① $5x-3x+2x=$

② $-a-3a-5a=$

③ $4y-13y+9=$

④ $2x+4x-10x=$

⑤ $7a+5-12a=$

⑥ $-2+\dfrac{3x}{2}-\dfrac{5x}{4}=$

⑦ $\dfrac{3x}{4}-\dfrac{1}{4}-\dfrac{x}{6}+\dfrac{1}{2}=$

⑧ $\dfrac{2}{3}-\dfrac{b}{2}-\dfrac{7b}{2}+\dfrac{4}{3}=$

식을 간단히 하세요.

① $2x-3-3x+5=$

② $\dfrac{1}{3}+6y-y-\dfrac{3}{5}=$

③ $-2x+3x-10x+5=$

④ $-\dfrac{b}{4}+2b-3-\dfrac{2b}{3}=$

⑤ $3a-3+7+2a=$

⑥ $6y-\dfrac{1}{2}-9y-\dfrac{5}{2}=$

⑦ $a-2a-2+3a-1=$

⑧ $a+5+4a-4-2a=$

⑨ $-x+1+4x-5+6=$

⑩ $-3x+2+1-4x-5=$

식을 간단히 하세요.

① $6x-1-2x+3=$

② $\dfrac{2x}{3}-\dfrac{5}{3}-\dfrac{5x}{2}+\dfrac{1}{2}=$

③ $2x-\dfrac{5}{2}-5x+6y=$

④ $8x-4y-5x+6y=$

⑤ $2b-3-7b+3=$

⑥ $\dfrac{2x}{3}-\dfrac{1}{3}-\dfrac{x}{2}-\dfrac{3}{2}=$

⑦ $0.4a-0.7b+1.1a+1.3b-3=$

⑧ $1.5x+0.5-\dfrac{4x}{3}+\dfrac{2}{3}+\dfrac{x}{4}=$

⑨ $\dfrac{a}{5}+1.2+1.5a+2.1-\dfrac{3}{2}=$

⑩ $\dfrac{x}{4}-\dfrac{1}{4}+\dfrac{2x}{3}-\dfrac{2}{3}-x+2.5=$

- 다항식과 다항식의 덧셈, 뺄셈은 동류항끼리 계산합니다.

  다항식에 수가 곱해진 경우 분배법칙으로 먼저 계산해야 합니다.

$$(2x+1)-(3x-2)=2x+1-3x+2$$
$$=(2x-3x)+(1+2)$$
$$=-x+3$$

$$-2(x+3)-3(-3x-1)=-2x-6+9x+3$$
$$=(-2x+9x)+(-6+3)$$
$$=7x-3$$

계산을 하세요.

① $3(-2a+1)-4(-a-3)=$

② $3x+4+5x-2=$

③ $-6y-2+2(5y+7)=$

④ $3(a+1)+2(4a-2)=$

계산을 하세요.

① $2x-5-4x+9=$

② $4(3a-2)-7a-6=$

③ $5x+7+3(2x-6)=$

④ $-3x+7-2(x-5)=$

⑤ $4x-3+2(-x+1)=$

⑥ $4(-2x+1)-3(-x-3)=$

⑦ $-(-4x-3)-3(-2x+8)=$

오른쪽 그림과 같이 이웃한 두 칸의 합이 위의 칸의 식이
될 때, 빈칸을 알맞은 식으로 채우세요.

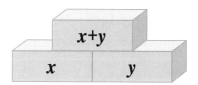

①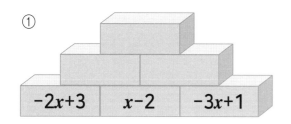

②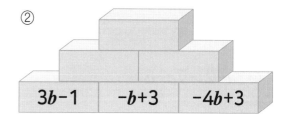

③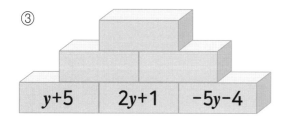

④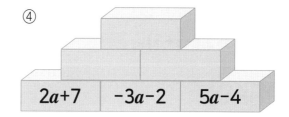

일차식의 덧셈, 뺄셈2

● 일차식에 분수가 곱해져 있는 형태는 통분합니다. 이때 분자는 괄호로 묶어서 계산하고 부호에 유의합니다.

$$\frac{x-2}{2} - \frac{1-x}{3} = \frac{(x-2)\times 3}{2\times 3} - \frac{(1-x)\times 2}{3\times 2} = \frac{3(x-2)-2(1-x)}{6}$$

$$= \frac{3x-6-2+2x}{6} = \frac{5x-8}{6}$$

약분할 때는 분배법칙의 적용에 유의합니다.

$$\frac{4x-8}{6} = \frac{(4x-8)\div 2}{6\div 2} = \frac{4x\div 2-8\div 2}{6\div 2} = \frac{2x-4}{3}$$

계산을 하세요.

① $\dfrac{3x+2}{2} + \dfrac{x-1}{4} =$

② $\dfrac{a-2}{3} + \dfrac{3a+1}{4} =$

③ $\dfrac{3y+1}{4} - \dfrac{y+3}{2} =$

④ $\dfrac{2b-1}{3} - \dfrac{b-1}{2} =$

🐌 계산을 하세요.

① $\dfrac{2x-1}{3} - \dfrac{x+3}{2} =$

② $\dfrac{x-2}{2} + \dfrac{x+3}{6} =$

③ $\dfrac{x+4}{3} - \dfrac{x+3}{2} =$

④ $\dfrac{x+3}{4} - \dfrac{2x-1}{6} =$

⑤ $\dfrac{2x+1}{5} + \dfrac{-x+2}{2} - \dfrac{3x-2}{10} =$

⑥ $\dfrac{3x-4}{3} + \dfrac{2x+5}{2} + \dfrac{4x-3}{6} =$

⑦ $\dfrac{-x+1}{2} - \dfrac{2x-5}{3} + \dfrac{5x-3}{4} =$

계산을 하세요.

① $\dfrac{x+2}{3} - \dfrac{5x-7}{2} + \dfrac{2x+3}{6} =$

② $\dfrac{3x-1}{2} + \dfrac{-x+4}{4} + \dfrac{2x-3}{3} =$

③ $\dfrac{4x-3}{3} - \dfrac{5x-6}{6} + \dfrac{2x+1}{2} =$

④ $\dfrac{x-3}{7} - \dfrac{2x-1}{3} + \dfrac{5x+5}{21} =$

⑤ $\dfrac{4x-1}{2} + \dfrac{2x-3}{3} + \dfrac{x+3}{4} - \dfrac{3x-5}{12} =$

⑥ $\dfrac{3x-2}{2} - \dfrac{2x+5}{4} + \dfrac{-x+1}{5} - \dfrac{3x-4}{10} =$

⑦ $\dfrac{2x+1}{3} - \dfrac{3x+4}{4} + \dfrac{3x-1}{6} + \dfrac{-x+7}{12} =$

다음을 보고 계산을 하세요.

$$A=2x+1 \qquad B=x-1 \qquad C=3x-2 \qquad D=-2x+2$$

① $2A - B =$

② $3B - 2C =$

③ $C + 2D =$

④ $3A + D =$

⑤ $3B - D + (B - 2D) =$

⑥ $2A - C - (A - 2C) =$

오른쪽 규칙과 같이 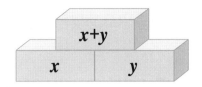 를 채울 때 빈칸에 알맞은 식을 써 넣으세요.

①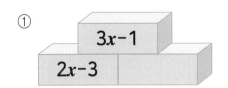

②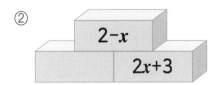

③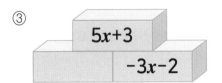

④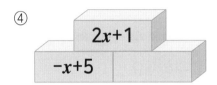

⑤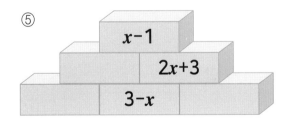

⑥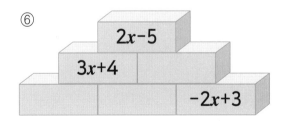

문제를 읽고 알맞은 답을 써 보세요.

① 어떤 다항식에서 $2a-3$을 빼야 할 것을 잘못하여 더했더니 $5a+4$가 되었습니다. 바르게 계산한 식을 구하세요.

답 : _____

② 어떤 다항식에서 $2x+7$을 더해야 할 것을 잘못하여 뺐더니 $-5x-8$이 되었습니다. 바르게 계산한 식을 구하세요.

답 : _____

③ 어떤 다항식에서 $4x-3$을 빼야 할 것을 잘못하여 더했더니 $-5x+7$이 되었습니다. 바르게 계산한 식을 구하세요.

답 : _____

④ 어떤 다항식에서 $3x-4$를 빼야 할 것을 잘못하여 더했더니 $4x+3$이 되었습니다. 바르게 계산한 식을 구하세요.

답 : _____

⑤ 어떤 다항식에서 $-4x+2$를 더해야 할 것을 잘못하여 뺐더니 $-x+4$가 되었습니다. 바르게 계산한 식을 구하세요.

답 : _____

예비 중등 2권 – 방정식의 계산

도전! 계산왕

식의 계산을 집중 연습합니다.

식의 계산

계산을 하세요.

① $3x+2-4x+1=$

② $2x-5+6x+3=$

③ $0.4a-2+1.5a+4=$

④ $4b+\dfrac{2}{3}-b-\dfrac{1}{2}=$

⑤ $3(3a+2)-2(4a-1)=$

⑥ $\dfrac{2x-5}{2}+\dfrac{3x+1}{4}=$

⑦ $2(5b-2)+3(2b+3)=$

⑧ $\dfrac{3y+1}{3}-\dfrac{2y-5}{6}=$

⑨ $a-2(3-2a)+3(1-4a)=$

⑩ $\dfrac{3a+4}{3}-\dfrac{-1+4a}{4}+\dfrac{2a+7}{12}=$

⑪ $\dfrac{-5x+3}{2}+\dfrac{2x+1}{3}-\dfrac{-3x+4}{6}-\dfrac{-x-1}{12}=$

🐌 계산을 하세요.

① $2x+3+5x-4=$

② $3x-1-2x+5=$

③ $1.7a-2.1-1.4a+3=$

④ $2b+\dfrac{3}{4}-3b-\dfrac{1}{2}=$

⑤ $2(-3a+4)+4(a-1)=$

⑥ $\dfrac{3x-2}{3}+\dfrac{-x+2}{4}=$

⑦ $4(b+3)-2(3b+2)=$

⑧ $\dfrac{2y+4}{4}+\dfrac{2y-3}{5}=$

⑨ $3(a+2)-4(-2+a)-2(5-7a)=$

⑩ $\dfrac{4a+2}{2}-\dfrac{5+3a}{3}-\dfrac{-a+4}{6}=$

⑪ $\dfrac{-3x-5}{2}+\dfrac{3x+9}{4}-\dfrac{-x-5}{5}+\dfrac{2x-9}{10}=$

식의 계산

🔎 계산을 하세요.

① $3a-2+4a+3=$

② $5x-4-x+8=$

③ $3.7a-5+2.3a+7=$

④ $4b+\dfrac{1}{3}-7b+\dfrac{1}{2}=$

⑤ $-5(-2a+1)-2(-3a+4)=$

⑥ $\dfrac{5x-3}{4}-\dfrac{-2x+5}{8}=$

⑦ $6(3b-2)-3(2b-5)=$

⑧ $\dfrac{-3y-1}{3}+\dfrac{4y+2}{9}=$

⑨ $5(-3a-1)+2(-5+2a)-2(3-7a)=$

⑩ $\dfrac{6a-3}{3}-\dfrac{1+6a}{5}+\dfrac{-3a+2}{15}=$

⑪ $\dfrac{-4x+1}{2}+\dfrac{2x-7}{3}+\dfrac{5x+4}{6}+\dfrac{8x-2}{9}=$

계산을 하세요.

① $5a+6-2a-7=$

② $6x-3+3x+5=$

③ $4.8a-2.4-1.3a-3.6=$

④ $2b+\dfrac{4}{5}+4b+\dfrac{3}{10}=$

⑤ $3(5a+2)-(2a-8)=$

⑥ $\dfrac{3x+2}{5}-\dfrac{6x+5}{15}=$

⑦ $-3(2b+7)-2(-5-4b)=$

⑧ $\dfrac{5y-4}{2}+\dfrac{-7y+4}{6}=$

⑨ $2(5a+6)+(3-2a)+4(-2-6a)=$

⑩ $\dfrac{7a+1}{4}-\dfrac{4-3a}{5}+\dfrac{-7a-9}{20}=$

⑪ $\dfrac{-4x-3}{2}+\dfrac{-4x+1}{5}+\dfrac{8x+3}{10}+\dfrac{7x-9}{20}=$

식의 계산

🐌 계산을 하세요.

① $-2a-7+5a+4=$

② $3x+1-6x+7=$

③ $5.4a+6+2.6a-1.5=$

④ $-8b+\dfrac{1}{2}+10b+\dfrac{2}{5}=$

⑤ $2(-3a-5)+(6a+11)=$

⑥ $\dfrac{-x+3}{2}-\dfrac{5x+4}{3}=$

⑦ $3(-b+4)+4(-5+3b)=$

⑧ $\dfrac{y+8}{4}+\dfrac{-3y+2}{12}=$

⑨ $-4(-a+3)-2(5+2a)+4(3+2a)=$

⑩ $\dfrac{-8a+3}{3}-\dfrac{-5-a}{4}+\dfrac{5a-3}{12}=$

⑪ $\dfrac{6x-1}{2}+\dfrac{5x+2}{4}-\dfrac{7x-2}{5}+\dfrac{3x+2}{20}=$

식의 계산

🔎 계산을 하세요.

① $6a+11-2a+3=$

② $-4x-3+7x+2=$

③ $-3.7a-2.8+2.4a+1.3=$

④ $2b-\dfrac{4}{5}-7b+\dfrac{9}{10}=$

⑤ $-5(a+2)-(-6a-7)=$

⑥ $\dfrac{-3x+7}{4}-\dfrac{-2x+5}{5}=$

⑦ $2(-2b+7)+6(-1+2b)=$

⑧ $\dfrac{3y-2}{3}+\dfrac{y+6}{4}=$

⑨ $5(2a-1)-3(-4+a)-2(2+7a)=$

⑩ $\dfrac{-4a+7}{3}-\dfrac{4+9a}{5}+\dfrac{7a+4}{15}=$

⑪ $\dfrac{-2x+5}{2}+\dfrac{-4x-1}{3}-\dfrac{-5x-2}{6}+\dfrac{11x+13}{10}=$

| 월 | 일 | 점수 : | / 11 |

🖉 계산을 하세요.

① $-8a+7+2a-15=$

② $9x-4-2x-3=$

③ $7.5a-4-4.5a+3.5=$

④ $4b-\dfrac{3}{10}-6b+\dfrac{3}{4}=$

⑤ $3(2a-5)-(9a-8)=$

⑥ $\dfrac{x-9}{3}-\dfrac{-3x-11}{12}=$

⑦ $5(6b-1)+3(5-7b)=$

⑧ $\dfrac{2y-3}{2}+\dfrac{-2y+1}{5}=$

⑨ $6(a+7)-2(9+2a)-3(4+3a)=$

⑩ $\dfrac{-2a+3}{6}-\dfrac{-3+2a}{8}+\dfrac{-5a-6}{12}=$

⑪ $\dfrac{5x+2}{3}+\dfrac{3x-1}{4}+\dfrac{-2x-7}{6}+\dfrac{11x+9}{12}=$

식의 계산

계산을 하세요.

① $10a-4-6a+9=$

② $-8x-1+9x-5=$

③ $2.4a-4.9-0.5a+1.2=$

④ $-3b+\dfrac{3}{8}-2b+\dfrac{1}{4}=$

⑤ $-4(3a+2)-(-2a-11)=$

⑥ $\dfrac{2x+3}{3}-\dfrac{x+4}{5}=$

⑦ $3(-2b+3)+3(1+4b)=$

⑧ $\dfrac{2y-3}{2}+\dfrac{-2y+1}{5}=$

⑨ $3(2a+5)-6(2+a)-2(-4-5a)=$

⑩ $\dfrac{5a-7}{2}-\dfrac{9a-4}{3}+\dfrac{4a+3}{12}=$

⑪ $\dfrac{3x-7}{2}+\dfrac{3x-1}{4}+\dfrac{-7x+3}{5}+\dfrac{13x+23}{20}=$

식의 계산

계산을 하세요.

① $14-7a+2-5a=$

② $-9x-3+10x+5=$

③ $8.5a-2.7+1.5a-2.3=$

④ $3b-\dfrac{1}{2}-8b+\dfrac{3}{4}=$

⑤ $2(a-3)-(-6a-5)=$

⑥ $\dfrac{-x+6}{5} - \dfrac{-3x+7}{4} =$

⑦ $-2(-4b+3)+5(-5-7b)=$

⑧ $\dfrac{6y-1}{7} + \dfrac{y+3}{2} =$

⑨ $3(3a-2)-5(-4+2a)-2(2+6a)=$

⑩ $\dfrac{-2a+5}{2} - \dfrac{3-9a}{3} - \dfrac{7a-3}{10} =$

⑪ $\dfrac{4x-5}{2} - \dfrac{-4x+1}{3} - \dfrac{2x-3}{5} =$

계산을 하세요.

① $-7a+5+2a-6=$

② $11x-10-7x+5=$

③ $7.2a+5.4-9.7a+1.1=$

④ $8b+\dfrac{1}{8}-5b+\dfrac{3}{2}=$

⑤ $3(-2a+5)-(-4a-9)=$

⑥ $\dfrac{6x+1}{2}-\dfrac{2x+3}{4}=$

⑦ $-2(4b-1)+5(2+3b)=$

⑧ $\dfrac{3y+2}{6}+\dfrac{-4y+1}{9}=$

⑨ $-5(a+1)-2(5+2a)-2(-7-6a)=$

⑩ $\dfrac{3a+2}{4}+\dfrac{-7a-3}{6}+\dfrac{2a+9}{12}=$

⑪ $\dfrac{5x-2}{2}+\dfrac{4x+3}{4}+\dfrac{-2x+5}{8}+\dfrac{-20x+7}{16}=$

Memo

예비 중등 2권 – 방정식의 계산

4주차 동영상 강의 바로가기

4주차

등식의 성질과 이항

등식의 성질과 이항을 알고 방정식의 해를 구하는 과정을 이해합니다. 간단한 방정식의 해를 구하면서 원리를 알고 5주차에서 다양한 일차방정식의 해를 구하는 공부도 이어갑니다.

- 등호(=)를 사용하여 수나 식이 같음을 나타낸 식을 등식이라고 합니다.

  등식에서 등호의 왼쪽은 좌변, 오른쪽은 우변, 좌변과 우변을 함께 양변이라고 합니다.

  등식

  $$\underline{x-3} = \underline{2x+1}$$
  좌변   우변
  양변

  문자에 대입하는 값에 따라 참이나 거짓이 되는 등식을 방정식이라고 합니다. 방정식의 문자를 미지수라고 하고 방정식이 참이 되는 미지수를 해 또는 근이라고 합니다. 방정식을 푼다는 말은 해를 구한다는 뜻입니다.

🎶 방정식에 주어진 x의 값을 대입하여 식이 참이 되는 해에 ○표 하세요.

① x $-3, -1, 3$

$2x+1 = x-2$

② x $-2, -1, 0$

$-3x+2 = 2x+2$

③ x $1, 2, 3$

$-x+5 = 2x-4$

④ x $-2, 1, 3$

$4(x-2) = 4$

⑤ x $\dfrac{4}{3}, 1, 2$

$2x-3 = -x+1$

⑥ x $-3, 1, 3$

$4x-1 = 2x+1$

⑦ x $2, 0, -1$

$2x = 5x-6$

⑧ x $3, -1, -5$

$2(x+1) = x-3$

⑨ x $-7, 9, 11$

$5x+4 = 6x-5$

- 방정식의 양변은 양팔저울의 두 접시와 비슷한 성질을 가집니다.

등식의 성질

① 등식의 양변에 같은 수를 더해도 등식은 성립한다.

② 등식의 양변에 같은 수를 빼도 등식은 성립한다.

③ 등식의 양변에 같은 수를 곱해도 등식은 성립한다.

④ 등식의 양변을 0이 아닌 같은 수로 나누어도 등식은 성립한다.

$a = b$ 일 때

① → $a+c=b+c$ ② → $a-c=b-c$

③ → $ac=bc$ ④ → $\dfrac{a}{c} = \dfrac{b}{c}$

이때 ④에서 "0이 아닌" 이라는 조건이 붙는 이유는 수학에서 "÷0"은 성립할 수 없기 때문입니다.

🐛 빈칸에 알맞은 수를 써넣으세요.

① $2x-1=1$

$\quad$ 양변에 $\boxed{}$ 을 더하면

$\quad 2x=2$

$\quad$ 양변을 $\boxed{}$ 로 나누면

$\quad x=1$

② $\dfrac{x}{3}+2=-1$

$\quad$ 양변에 $\boxed{}$ 를 빼면

$\quad \dfrac{x}{3}=-3$

$\quad$ 양변에 $\boxed{}$ 을 곱하면

$\quad x=-9$

빈칸에 알맞은 수를 써넣으세요.

① $x-6=3$
　$x=9$
양변에 ☐ 을 더하면

② $x+2=5$
　$x=3$
양변에 ☐ 를 빼면

③ $2x=10$
　$x=5$
양변을 ☐ 로 나누면

④ $3x=-6$
　$x=-2$
양변을 ☐ 으로 나누면

⑤ $\dfrac{x}{4}+4=3$
　$\dfrac{x}{4}=-1$
양변에 ☐ 를 빼면

　$x=-4$
양변에 ☐ 를 곱하면

⑥ $7x-4=3$
　$7x=7$
양변에 ☐ 를 더하면

　$x=1$
양변을 ☐ 로 나누면

⑦ $\dfrac{x}{6}-5=1$
　$\dfrac{x}{6}=6$
양변에 ☐ 를 더하면

　$x=36$
양변에 ☐ 을 곱하면

등식의 성질2

- 미지수가 x인 방정식을 x에 대한 방정식이라고 합니다. x에 대한 방정식을 풀 때는 다음과 같은 순서로 등식의 성질을 이용하여 $x = $ (수)의 꼴로 바꿉니다.

① $ax + b = c$의 꼴일 때

$$2x-1=1 \longrightarrow 2x=2 \longrightarrow x=1$$

양변에 1을 더합니다.　　양변을 2로 나눕니다.

② $ax + b = cx + d$의 꼴일 때

$$3x+2=x-2 \longrightarrow 2x+2=-2 \longrightarrow 2x=-4 \longrightarrow x=-2$$

양변에 x를 뺍니다.　　양변에 2를 뺍니다.　　양변을 2로 나눕니다.

등식의 성질을 이용하여 방정식의 해를 구하세요.

① $2x+4=2$

② $3x-1=2$

③ $4x+3=6x-1$

④ $\dfrac{x}{2}-1=3x-11$

방정식의 해를 구하세요.

① $-2x=2$

② $\dfrac{x}{3}=6$

③ $4x-2=-2$

④ $2x-3=3$

⑤ $\dfrac{x}{2}-x=3$

⑥ $3x+6=-3$

⑦ $-4x+8=1$

⑧ $-2x-1=-3$

⑨ $-\dfrac{x}{4}-3=-1$

⑩ $-\dfrac{x}{3}+8=9$

⑪ $2x-3=-x-6$

⑫ $2x+1=5x-5$

⑬ $-5x-5=-3x-15$

⑭ $-\dfrac{x}{3}+2=\dfrac{x}{2}+7$

방정식의 해를 구하세요.

① $\dfrac{x}{4}=3$

② $-\dfrac{x}{3}=-7$

③ $\dfrac{x}{2}+2=4$

④ $x+5=-6$

⑤ $-8x-8=-4$

⑥ $-3x-1=2$

⑦ $-7x-7=-14$

⑧ $2x+1=4$

⑨ $-\dfrac{x}{3}+2=3$

⑩ $\dfrac{x}{6}-1=4$

⑪ $4x+2=5x-2$

⑫ $2x-6=7x-3$

⑬ $-6x+2=x-5$

⑭ $-\dfrac{x}{2}+6=\dfrac{x}{5}-15$

이항

3일차

 월

- 등식의 성질을 이용한 결과로 좌변, 우변의 위치가 바뀌는 것을 이항이라고 합니다.

    $-x$로 바꾸어 이항

    $3x - 2 = x + 4$ $\longrightarrow$ $3x-x=4+2$

    $+2$로 바꾸어 이항

  이항할 때는 (+)는 (−)로, (−)는 (+)로 바꿉니다.

이항하여 방정식의 해를 구하세요.

① $x+2=3x-2$

$x - \boxed{} = -2 - \boxed{}$

$\boxed{}x = \boxed{}$

$x = \boxed{}$

② $2x-4=3x-3$

$2x - \boxed{} = -3 + \boxed{}$

$\boxed{}x = \boxed{}$

$x = \boxed{}$

③ $\dfrac{x}{3} - 1 = x+4$

$\dfrac{x}{3} - \boxed{} = 4 + \boxed{}$

$\boxed{}x = \boxed{}$

$x = \boxed{}$

④ $-\dfrac{x}{2} + 3 = 3x-1$

$-\dfrac{x}{2} - \boxed{} = -1 - \boxed{}$

$\boxed{}x = -\boxed{}$

$x = \boxed{}$

방정식의 해를 구하세요..

① $3x+4=1$

② $4x-1=2$

③ $2x+5=-6$

④ $2x+2=1$

⑤ $5x+4=-6$

⑥ $\dfrac{x}{3}-1=5$

⑦ $4x+4=x+1$

⑧ $4x-1=2x+1$

⑨ $3x+3=5x-6$

⑩ $2x+3=4x+2$

⑪ $3x+8=5x-1$

⑫ $2x-6=-2x+2$

⑬ $3x-3=6x-2$

⑭ $6x-3=7x+1$

방정식의 해를 구하세요.

① $x+2=4$

② $\dfrac{x}{2}+3=5$

③ $5x+1=3$

④ $2x-8=15$

⑤ $x-7=3$

⑥ $2x+3=-5$

⑦ $3x-5=2x+3$

⑧ $2x-4=x+1$

⑨ $2x+6=3x-1$

⑩ $x-5=-2x+3$

⑪ $\dfrac{x}{2}+4=\dfrac{1}{2}-x$

⑫ $-\dfrac{x}{2}-3=\dfrac{4}{3}x-2$

⑬ $\dfrac{x}{3}-1=x+2$

⑭ $-\dfrac{x}{2}+3=4x-6$

방정식의 해를 구하세요.

① $\dfrac{x}{5}+1=-2$

② $-\dfrac{x}{2}+3=1$

③ $-6x+8=2$

④ $-x+2=4$

⑤ $2x+\dfrac{3}{2}=-\dfrac{1}{2}$

⑥ $4x+1=\dfrac{2}{3}$

⑦ $4x-5=2x+7$

⑧ $-3+x=2x+3$

⑨ $-2x+4=4+2x$

⑩ $6x-5=2x+10$

⑪ $\dfrac{4}{5}x-\dfrac{1}{5}=\dfrac{1}{10}x+\dfrac{1}{5}$

⑫ $\dfrac{x}{2}-1=\dfrac{2}{3}x+4$

⑬ $-\dfrac{x}{3}-1=\dfrac{3}{4}x+12$

⑭ $-\dfrac{x}{2}+2=-1-\dfrac{5}{2}x$

방정식의 해를 구하세요.

① $2x+1=-3$

② $2x-1=-3$

③ $-\dfrac{x}{6}+1=-1$

④ $2x+5=4$

⑤ $3x-10=-7$

⑥ $-\dfrac{x}{2}+5=3$

⑦ $3x+4=2x+5$

⑧ $3x-10=-3x-1$

⑨ $-\dfrac{2}{3}x-1=\dfrac{x}{3}+6$

⑩ $\dfrac{x}{2}+8=\dfrac{x}{5}-1$

⑪ $\dfrac{2}{3}x+3=-\dfrac{x}{3}$

⑫ $-1-\dfrac{2}{3}x=\dfrac{3}{4}x+9$

⑬ $-\dfrac{5}{9}x+23=4-\dfrac{6}{7}x$

⑭ $\dfrac{3}{2}x+1=\dfrac{5}{4}x-7$

 ○안의 수가 방정식의 해가 아닌 것에 모두 X표 하세요.

-1	$2-3x=5$
-1	$3x+7=5-x$
0	$5+3x=-2x+6$

1	$2x-5=-2$
2	$2x-11=x-8$
3	$2(x-1)+3=3x-2$

2	$5x+2=7$
3	$2x+7=x+4$
-3	$2x+9=3$

$\frac{1}{3}$	$3-4x=5x$
8	$3(x-5)=x+1$
-3	$-2(x-3)=3(x-1)$

-1	$3x=5x+2$
-3	$3x+7=-4x-7$
8	$7-3x=2x-33$

-2	$2(4-6x)=-16$
-2	$-2(x-1)=x+8$
21	$1+3(x+4)=4(x-2)$

Tip
어떤 수가 해인지 판별할 때는 대입해서 참이 되는지 따집니다.

- 미지수가 어떤 값을 갖더라도 항상 참이 되는 등식을 항등식이라고 합니다. 항등식은 좌변과 우변이 똑같아서 간단히 정리하면 미지수가 사라지고 0=0이 됩니다.

$$2x-5=-5+2x \longrightarrow 0=0$$

양변에 $-2x+5$를
각각 더하면

💡 다음 중 항등식에 모두 ◯표 하세요.

$2x=1-2x$	$3x-1=-1+3x$	$2(x-1)=2x-2$
$3-x=x-3$	$2x=4$	$4x=4+x$
$2x+3x=5x$	$5=x+7$	$2(x+3)=2x+6$
$x+6x-7=7(x-1)$	$x+x=2$	$(3x+6)\div3=x+2$
$x+2=4x$	$3(2x-1)=6x-3$	$3x+7=5-x$
$2x+11=x-8$	$6+2x=-4x-7$	$2(x-2)+4=3x-5$

- 항등식은 미지수가 사라지고 0=0꼴이 되므로 미지수의 값과 관계없이 항상 참입니다. 따라서 해가 셀 수 없이 많습니다.

다음 등식이 항등식이 되도록 □안에 알맞은 수를 써넣으세요.

① $2(3-x)-4=\boxed{}-2x$

② $4(x-3)=4x+\boxed{}$

③ $\dfrac{1}{4}(x+2)=\boxed{}+\dfrac{1}{4}x$

④ $-3x+\boxed{}=3(-2-x)$

⑤ $2x+6=\boxed{}(x+3)$

⑥ $-1-5x=5\left(-\dfrac{1}{5}+\boxed{}\right)$

⑦ $-(2-x)=\boxed{}+x$

⑧ $\boxed{}(x-3)=-12+4x$

⑨ $-3x+2=\boxed{}\left(-\dfrac{1}{3}x+\dfrac{2}{9}\right)$

⑩ $3(3-x)+5=\boxed{}-3x$

⑪ $3-5x=2(\boxed{}x-1)+5$

⑫ $5(2-2x)-3=\boxed{}-10x$

다음 식이 모두 항등식일 때 a, b를 각각 구하세요.

① $3x-a=2+bx$

$a=$ _____ $b=$ _____

② $4x-a=5-bx$

$a=$ _____ $b=$ _____

③ $-2a+3x=6+bx$

$a=$ _____ $b=$ _____

④ $a+4x=-bx-7$

$a=$ _____ $b=$ _____

⑤ $3x+a=bx-2$

$a=$ _____ $b=$ _____

⑥ $\dfrac{1}{2}x-a=3-bx$

$a=$ _____ $b=$ _____

⑦ $2(x-a)+3=\dfrac{1}{2}(-2+bx)$

$a=$ _____ $b=$ _____

⑧ $3(-a-x)=\dfrac{2}{3}(bx+1)+\dfrac{1}{3}$

$a=$ _____ $b=$ _____

⑨ $ax+2=b-3x$

$a=$ _____ $b=$ _____

⑩ $2(-3a-2x)=\dfrac{1}{2}(bx+4)+4$

$a=$ _____ $b=$ _____

예비 중등 2권 – 방정식의 계산

5주차 동영상 강의 바로가기

5주차
일차방정식의 풀이

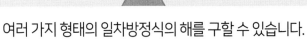

여러 가지 형태의 일차방정식의 해를 구할 수 있습니다.

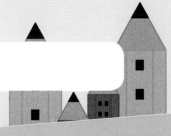

- 미지수가 1개이고 미지수의 지수가 1인 방정식을 일차방정식이라고 합니다. 일차방정식의 모든 항을 좌변으로 이항하여 간단히 하면 $ax+b=0(a\neq0)$의 꼴이 됩니다.

  일차방정식은 다음과 같은 순서로 풉니다.

  ① x를 포함한 항은 좌변, 상수항은 우변으로 이항합니다.

  ② 양변을 정리하여 $ax=b(a\neq0)$의 꼴로 정리합니다.

  ③ 양변을 a로 나누어 해를 구합니다.

  ④ ②에서 $ax=b$꼴에서 $a=0$인 경우는 5일차에서 따로 배웁니다.

  $$2x-3=3x-1 \xrightarrow{①} 2x-3x=-1+3 \xrightarrow{②} -x=2 \xrightarrow{③} x=-2$$

방정식을 푸세요.

① $3x-4=2x+3$

② $5x=2x+9$

③ $6x-8=2x+12$

④ $6-3x=7x+10$

- 괄호가 있는 일차방정식은 분배법칙을 먼저 쓰고 일차방정식의 풀이 순서를 따릅니다.

$$5(x+1)=-(2x-3)$$

분배법칙

$$5x+5=-2x+3$$

이항

$$5x+2x=3-5$$

양변을 정리

$$7x=-2$$

양변을 같은 수로 나누기

$$x=-\frac{2}{7}$$

방정식을 푸세요.

① $-(x-27)=4(x+3)$

② $-(-2x-3)=5(x+1)$

③ $2(3+2x)=3(x+3)$

④ $3(4x-1)=-2(-x+3)$

⑤ $5(x-1)=-(-3x+1)$

⑥ $2(x-6)=-(3x-8)$

Tip

분배법칙을 쓸 때는 특히 부호에 유의합니다.

🐌 계산을 하세요.

① $2(x-3)=-(-x-4)$

② $3(x+2)=-(-x-10)$

③ $4(2x+3)=3(x-1)$

④ $3(x+3)=2(x+5)$

⑤ $2(x+1)=3(x+2)$

⑥ $2(-x-2)=-(-x-5)$

⑦ $3(2x+3)=4(x+2)$

⑧ $-2(4x+1)=5(-x+2)$

⑨ $-(-5x+6)=3(x+2)$

⑩ $4(x+1)=-3(x+1)$

2 일차 　　계수가 소수인 일차방정식　　　월　　일

● 미지수 x에 곱해진 곱해진 수를 계수라고 합니다.

$$2x+3=0$$

└─→ x의 계수

계수가 소수인 일차방정식은 양변에 10의 배수(10, 100, 1000, …)를 곱하여 계수를 정수로 만든 후 일차방정식의 풀이 과정을 따릅니다.

$$0.6x-0.1=0.12x+0.2$$

(양변)×100

$$60x-10=12x+20$$

이항 후 정리

$$48x=30$$

(양변)÷(x의 계수)

$$x=\frac{5}{8}$$

방정식을 푸세요.

① $0.3x-1.6=0.5$

② $0.02x+0.33=-0.01x$

③ $1.4x-2.8=0.5x+2.6$

④ $0.2x-3=0.5x$

✌️ 계산을 하세요.

① $0.88x - 0.24 = 0.36 - 0.12x$

② $0.18x - 0.4 = 0.2x - 0.32$

③ $0.2x + 1.2 = 0.6 + 0.1x$

④ $0.3x + 0.9 = 0.4x + 1.5$

⑤ $0.08x - 0.3 = 0.12x - 0.5$

⑥ $0.6x + 0.4 = 2.4 - 0.4x$

⑦ $0.02x + 0.07 = 0.1x - 0.09$

⑧ $0.25x - 0.6 = 0.1x + 0.15$

⑨ $1.2x - 0.6 = 0.2x + 0.8$

⑩ $0.5x - 0.3 = 0.2x - 1.2$

계산을 하세요.

① $0.05x=0.25x-0.4$

② $-0.4x+0.2=1.6x+1.2$

③ $0.1x-0.08=0.14x+0.4$

④ $0.02x+0.06=0.06x-0.1$

⑤ $0.2x-0.6=0.5x+1.5$

⑥ $0.2x-0.3=0.5x+0.6$

⑦ $0.4x+0.3=1.8-0.2x$

⑧ $0.1x+0.1=-0.2x+0.7$

⑨ $0.16x-0.48=0.04x+0.12$

⑩ $0.2x-0.8=0.15x-0.45$

- 계수가 분수인 일차방정식은 분모의 최소공배수를 양변에 곱해서 계수를 정수로 만든 후 일차방정식의 풀이 순서를 따릅니다.

$$\frac{3}{4}x+1=-\frac{1}{3}x+2$$

(양변)×(4와 3의 최소공배수)

$$12\left(\frac{3}{4}x+1\right)=12\left(-\frac{1}{3}x+2\right)$$

분배법칙

$$9x+12=-4x+24$$

이항 후 정리

$$13x=12$$

(양변)÷(x의 계수)

$$x=\frac{12}{13}$$

방정식을 푸세요.

① $\dfrac{x}{3}=\dfrac{x}{5}-\dfrac{2}{5}$

② $\dfrac{3x}{2}-\dfrac{2}{3}=-\dfrac{5}{4}+\dfrac{x}{3}$

③ $\dfrac{x}{3}-\dfrac{3}{4}=-\dfrac{x}{4}-\dfrac{2}{3}$

④ $\dfrac{3x}{4}+1=-\dfrac{x}{4}+7$

방정식을 푸세요.

① $\dfrac{3x}{2} - \dfrac{1}{2} = \dfrac{x}{3} - \dfrac{5}{3}$

② $\dfrac{x}{6} + \dfrac{1}{3} = \dfrac{x}{3} + \dfrac{3}{2}$

③ $\dfrac{x}{2} - \dfrac{5}{2} = \dfrac{x}{4} - \dfrac{1}{4}$

④ $x + \dfrac{1}{3} = \dfrac{5x}{6} - \dfrac{1}{6}$

⑤ $\dfrac{x}{2} + \dfrac{1}{3} = \dfrac{x}{3} + 1$

⑥ $\dfrac{x}{3} - 6 = \dfrac{x}{2} - 5$

⑦ $\dfrac{3x}{4} - 1 = \dfrac{5x}{12} - \dfrac{1}{3}$

⑧ $\dfrac{3x}{5} - \dfrac{2}{5} = \dfrac{x}{3} + \dfrac{2}{3}$

⑨ $\dfrac{3x}{2} - \dfrac{1}{4} = \dfrac{2x}{3} + 1$

⑩ $\dfrac{5x}{4} + 10 = \dfrac{x}{2} - \dfrac{7}{2}$

방정식을 푸세요.

① $2x - \dfrac{4}{5} = \dfrac{6x}{5} + 4$

② $\dfrac{x}{2} + 2 = \dfrac{x}{3} + \dfrac{5}{6}$

③ $\dfrac{x}{5} - \dfrac{3}{10} = \dfrac{x}{2} - \dfrac{3}{2}$

④ $\dfrac{2x}{3} - \dfrac{1}{3} = \dfrac{x}{2} + 3$

⑤ $\dfrac{x}{2} + \dfrac{1}{2} = \dfrac{3x}{4} - \dfrac{1}{4}$

⑥ $\dfrac{2x}{5} + \dfrac{1}{5} = \dfrac{8x}{5} - \dfrac{6}{5}$

⑦ $-\dfrac{x}{5} + \dfrac{3}{2} = -\dfrac{x}{2} + \dfrac{3}{10}$

⑧ $\dfrac{x}{5} - 2 = -\dfrac{4}{5} - x$

⑨ $\dfrac{5x}{4} + 11 = \dfrac{x}{2} + \dfrac{7}{2}$

⑩ $\dfrac{4x}{3} - \dfrac{1}{2} = \dfrac{5x}{6} - 1$

- 계수에 분수와 소수가 함께 있다면 소수를 분수로 고치고 양변에 분모의 최소공배소를 곱해서 계수를 정수로 만들고 계산합니다.

$$0.1(x+2)=\frac{x-8}{8}$$

소수를 분수로 고치기

$$\frac{x+2}{10}=\frac{x-8}{8}$$

(양변)×(10과 8의 최소공배수)

$$40\times\frac{x+2}{10}=40\times\frac{x-8}{8}$$

분배법칙

$$4x+8=5x-40$$

이항 후 정리

$$-x=-48$$

(양변)÷(x의 계수)

$$x=48$$

방정식을 푸세요.

① $\dfrac{4}{3}\left(x+\dfrac{3}{4}\right)=1.5-\dfrac{1-x}{4}$

② $0.2(1.3x+1.6)=\dfrac{4x}{5}-4$

③ $0.2(2x+9)=\dfrac{x}{5}-1$

④ $\dfrac{3x+1}{2}-1=0.5x-3$

방정식을 푸세요.

① $0.1x - 0.7 = \dfrac{1}{3}\left(\dfrac{x}{2} - 2\right)$

② $0.1(x+2) = \dfrac{x+2}{3}$

③ $\dfrac{2}{3}(x-3) = 0.7 - \dfrac{1-x}{2}$

④ $0.3(x-2) + \dfrac{1}{4} = 0.1x + \dfrac{1}{2}$

⑤ $\dfrac{x-3}{4} + 1 = 0.5(x+3)$

⑥ $0.6(x+1) - \dfrac{x+1}{2} = 1$

⑦ $0.5(x-4) - \dfrac{3x-2}{6} = \dfrac{1}{3} + x$

⑧ $(x-1) - 0.5(3-x) = -\dfrac{1}{3}$

⑨ $\dfrac{3x-5}{2} - 7 = 0.5x - 4$

⑩ $0.2x - 3 = \dfrac{x-1}{2} + 0.2$

방정식을 푸세요.

① $0.4\{3x-(-4+10)\}=\dfrac{2x+3}{4}$

② $0.2\left\{x-\left(-\dfrac{2}{3}+1\right)\right\}-\dfrac{2x-6}{3}=0.5x$

③ $2\left(\dfrac{x}{3}+\dfrac{1}{2}\right)-3\left\{\dfrac{1}{6}-\left(\dfrac{x}{2}+1\right)\right\}=0.5x+1$

④ $\dfrac{2x+1}{3}-0.25\{3x+(-2-5)\}=\dfrac{5}{6}$

⑤ $\dfrac{1}{2}-0.2(3x+1)=0.3\{7-(x+2)\}$

⑥ $2\{3x-(2x-3)\}=5\{0.3x-(-2+1)\}$

⑦ $0.5x-\dfrac{x-5}{10}-\dfrac{2(x+1)-(x+1-2)}{10}=1$

⑧ $0.5x-\dfrac{5-2(3x-2+3-4x)}{2}=1$

Tip
위와 같이 복잡한 식에서는 괄호 안에 계산할 수 있는 부분을 찾아 먼저 계산하고 통분합니다.

- 일차방정식 $ax+b=0$에서

①$a=0, b=0$이 되어 $0=0$ 꼴이 되면

→ 해가 셀 수 없이 많습니다. (어떤 수를 대입해도 성립합니다.)

②$a=0, b \neq 0$이 되어 $0=b(b \neq 0)$ 꼴이 되면

→ 해가 없습니다. (어떤 수를 대입해도 성립하지 않습니다.)

다음 방정식에서 해가 셀 수 없이 많은 것은 ◯표, 해가 없는 것은 △표 하세요.

$2(x+1)=2+2x$	$3(-2x+1)=4(x-1)$
$5(x-8)=-5x-8$	$2x+1=2x-3$
$2(2x-1)=4x+5$	$4x-1=x+8$
$3(2x+1)=6x+3$	$-2x+4=2(2-x)$
$3(2x-3)=2(3x+1)$	$2x+3x=5$

다음 식의 해가 존재하지 않도록 하는 상수 a의 값을 구하세요.

① $(a-2)x=2+3x$

② $(a-4)x=2-3x$

③ $ax+3=-2x-5$

④ $(a-4)x+5=8+2x$

⑤ $6x+5=(a-3)x-3$

⑥ $ax-1=-7x+3$

다음 식을 만족하는 해가 셀 수 없이 많을 때 상수 a의 값을 구하세요.

① $3(x-1)=ax-3$

② $-ax+6=6-5x$

③ $2(x+1)=2+ax$

④ $3(2-x)=ax+6$

⑤ $4(x-3)=-12+ax$

⑥ $5+ax=-5(x-1)$

두 방정식의 해가 같을 때 상수 a의 값을 구하세요.

①

| $x+5=4x-1$ | $4x+2=a-x$ |

②

| $2x-1=-x+8$ | $2x+a=1$ |

③

| $7-5x=-x+15$ | $5x+a=-3$ |

④

| $2x+3=5x+9$ | $ax-6=4x+1$ |

⑤

| $3x-2=2x+3$ | $ax+3=x-7$ |

6주차

도전! 계산왕

일차방정식을 집중 연습합니다.

일차방정식

| 월 일 | 점수 : / 8 |

🧩 계산을 하세요.

① $2x-5(x-3)=3$

② $x+9=-9-x$

③ $0.8x+4=1.2-0.6x$

④ $-0.2(2x+1)-0.5(1-x)=-0.1x+0.3$

⑤ $\dfrac{x}{6}-\dfrac{1}{2}=\dfrac{x}{9}$

⑥ $\dfrac{4x}{3}-\dfrac{1}{2}=\dfrac{5x-6}{6}$

⑦ $0.5x+\dfrac{2-x}{6}=\dfrac{(2x+3)-(x+2)}{2}$

⑧ $\dfrac{(3x-1)+(-2x+3)}{3}-0.5(3x-2)=2$

💡 계산을 하세요.

① $3x-1=x+4$

② $2(x+1)-3=x+1$

③ $0.2(3x+4)=-2$

④ $0.05x-0.5=0.25+0.3x$

⑤ $\dfrac{x}{3}-\dfrac{x}{5}+\dfrac{7}{5}=1$

⑥ $\dfrac{2x+1}{5}-\dfrac{x-7}{10}=3$

⑦ $\dfrac{2x+5}{10}=\dfrac{(-2x+3)-(-3x+2)}{4}$

⑧ $\dfrac{(3x-1)+(-x-4)}{3}-2=0.5x-3$

🐌 계산을 하세요.

① $x-5=2(2x-1)$

② $8x-3=3x-8$

③ $0.5x-0.3=0.2x+1.2$

④ $0.05x=0.1(2.5x-4)$

⑤ $6-\dfrac{x}{3}=\dfrac{x}{2}-14$

⑥ $\dfrac{x-4}{4}=-\dfrac{x}{2}-\dfrac{1}{3}$

⑦ $0.5\{(-x+6)+(2x-3)\}-1=\dfrac{2x-1}{3}$

⑧ $0.5\{(2x-5.5)-(x+2)\}=\dfrac{5x}{4}-\dfrac{1}{3}$

일차방정식

🐌 계산을 하세요.

① $2(x-2)=x+3$

② $3-x=x-1$

③ $x-0.8=1.2x+4$

④ $0.2(x+3)=0.3x-1$

⑤ $\dfrac{3x-2}{5}=\dfrac{x-4}{3}+2$

⑥ $\dfrac{3x}{2}-\dfrac{1}{4}=\dfrac{2x}{3}+1$

⑦ $0.3\{(2x+1)+(x-5)\}=-\dfrac{(3-2x)-(-x+1)}{2}$

⑧ $1.3\{(3x+4)-2(x+3)\}=\dfrac{2(x+2)}{5}+2$

💡 계산을 하세요.

① $2(x-3)=6-x$

② $x+7=-2(x-2)$

③ $0.2x-0.5(x-3)=0.3$

④ $0.2(x-3)=0.5(x+3)$

⑤ $\dfrac{5x}{4}+10=\dfrac{x-7}{2}$

⑥ $\dfrac{x}{2}+7=\dfrac{2x-5}{6}$

⑦ $\dfrac{(-2x+3)+(3x-5)}{6}-\dfrac{2x-1}{3}=1.5$

⑧ $\dfrac{x}{3}-0.5\{(-3x+1)-2(-2x+1)\}=2-\dfrac{1-3x}{2}$

💡 계산을 하세요.

① $2x+1=x-3$

② $3(x+4)=x+6$

③ $0.6x-1.2=x+1.6$

④ $0.3(2x+1)=1.1x-0.2$

⑤ $\dfrac{2x-1}{3}=\dfrac{x}{2}+3$

⑥ $\dfrac{x+3}{2}-\dfrac{3x-1}{4}=1$

⑦ $\dfrac{x}{5}-2\{3(x-2)+(-2x+5)\}=0.3-0.1(1-3x)$

⑧ $0.4-\dfrac{2x-5(1-3x)}{10}=\dfrac{3}{5}$

일차방정식

💡 계산을 하세요.

① $4x+3=-9x+7$

② $2(x-6)=5x-3$

③ $0.2(2x+1)=0.4(4x-3)$

④ $0.5(0.3x+1)=0.2(x-3)$

⑤ $\dfrac{x}{2}+\dfrac{1}{4}=\dfrac{2x}{3}$

⑥ $x-\dfrac{4x-3}{5}=\dfrac{-3-x}{3}$

⑦ $\dfrac{-4(x+1)+3(2x+1)}{4}=\dfrac{3x+1}{3}-1$

⑧ $\dfrac{x-3}{4}+0.5(2x-5)=\dfrac{2(2x-1)}{3}$

🎯 계산을 하세요.

① $5(2x+1)=7x-10$

② $6x-3=-2(2x-1)$

③ $0.3-0.2x=0.2(x-1)+0.1$

④ $1.5x-1.4(x-1.5)=1.6$

⑤ $\dfrac{4(x-3)}{3}=\dfrac{2+x}{2}$

⑥ $\dfrac{x}{4}-\dfrac{1}{6}=\dfrac{1}{3}$

⑦ $\dfrac{5x+4}{6}=0.5(x-2)-\dfrac{(2x+1)+2(x+2)}{3}$

⑧ $x+0.5(2x-3)=\dfrac{-(x+5)+2(x+4)}{3}+\dfrac{5}{6}$

일차방정식

🍯 계산을 하세요.

① $4x-5=2x+9$

② $2(x-1)=5x+7$

③ $0.1x+0.2=-0.3x+1$

④ $0.2x-0.5(x-3)=0.1$

⑤ $\dfrac{5+x}{6}=x-\dfrac{5}{2}$

⑥ $\dfrac{x+3}{4}=\dfrac{2x}{3}+2$

⑦ $\dfrac{3x-1}{4}-\dfrac{2(2x-1)}{3}=0.5(x-5)$

⑧ $3(x-2)=\dfrac{2\{(5x-1)-(x-2)\}}{5}-5$

일차방정식

💡 계산을 하세요.

① $2x=10-3x$

② $2(5-2x)=x-5$

③ $0.2x-0.05(3x-1)=0.5-0.4x$

④ $0.3(x-2)=0.04(4x+1)-0.5$

⑤ $\dfrac{7x-3}{10}=\dfrac{x}{2}+\dfrac{13}{10}$

⑥ $\dfrac{x+6}{6}=\dfrac{x+5}{8}$

⑦ $\dfrac{3}{10}-\dfrac{-2x-5(2-x)}{10}=1.6$

⑧ $4(x-1)=\dfrac{-2(x+1)+(3x-2)}{7}+0.5(3x-1)$

Memo

사고력 수학 전문가가 만든

개정판

원리셈

천종현 지음

· 방정식의 계산 ·

정답

예비 중등
2권

천종현수학연구소

예비 중등
2권

정답

1주차 - 문자를 사용한 식

10쪽

① $5a$　　② ab　　③ $3xy$

④ $-3x$　　⑤ $2xy$　　⑥ $5ab$

⑦ a^2b^2　　⑧ $5ax^3$　　⑨ $3a^4b^2$

11쪽

① $-ab$　　② x^2y　　③ $-a^3b$

④ $4(x-y)$　　⑤ $a(a+2b)$　　⑥ $3(x-y+1)$

⑦ ax^3　　⑧ $a^2b^2c^2$　　⑨ $2a^3z$

12쪽

① $2a$　　② $-b$

③ xyz　　④ a^3

⑤ $3ab$　　⑥ $4(x-y)$

⑦ $x(y+z)$　　⑧ $xy(2-z)$

⑨ $ab+2bc$　　⑩ $3h(a+b)$

⑪ $-a^3b$　　⑫ $6(c+1)-3$

⑬ $(7+x)(7-x)$　　⑭ x^2y

13쪽

① $\dfrac{y}{5}$　　② $\dfrac{x-y}{4}$　　③ $\dfrac{a+3b}{x}$

④ $\dfrac{x}{3y}$　　　⑤ $\dfrac{a}{b}$

⑥ $3, x, 3x$　　　⑦ $\dfrac{3}{4}, \dfrac{3(a-b)}{4}$

14쪽

① $\dfrac{y}{5}$　　② $-x$

③ $\dfrac{b}{ac}$　　④ $\dfrac{a}{x^3}$

⑤ $\dfrac{0.1}{ab}$　　⑥ $\dfrac{a+2b}{b}$

⑦ $\dfrac{xy}{5}$　　⑧ $\dfrac{c(x+y)}{a}$

⑨ $\dfrac{y(3-z)}{x}$　　⑩ $\dfrac{ac}{b}$

⑪ $\dfrac{2(a+b)}{h}$　　⑫ $\dfrac{5abc}{x-y}$

⑬ $\dfrac{2(a-b)}{bx}$　　⑭ $\dfrac{x}{y}+\dfrac{2bc}{3}$

15쪽

① $\dfrac{c+1}{6}$　　② $\dfrac{5+x}{2+x}$

③ $a-\dfrac{b}{a}+c$　　④ $\dfrac{2x}{y}+\dfrac{x}{3}$

⑤ $\dfrac{ac}{b}$　　⑥ abc

⑦ $\dfrac{x(5-3z)}{y}$　　⑧ $\dfrac{2bcx}{y}$

⑨ $\dfrac{2z}{z(a+b)}$　　⑩ $\dfrac{-b}{a}$

⑪ $\dfrac{1}{abc}$　　⑫ $\dfrac{2(a+b)}{3h}$

⑬ $x-\dfrac{yz}{5}$　　⑭ $3x+4(y+1)$

① $50 \times a$

$50a$

② $100 \times t$

$100t$

③ $x \times 4$

$4x$

④ $(a+b) \div 2$

$\dfrac{a+b}{2}$

⑤ $a \div 3$

$\dfrac{a}{3}$

① $\dfrac{20000 \times a}{100}$

$200a$

② $\dfrac{x \times 30}{100}$

$\dfrac{3x}{10}$

③ $\dfrac{a \times b}{100}$

$\dfrac{ab}{100}$

④ $a - \dfrac{ab}{100}$

⑤ $\dfrac{500a}{100}$

$5a$

⑥ $a - \dfrac{ab}{100}$

① $2x+2y$

② a^2

③ $12x$

④ ab

⑤ $\dfrac{ab}{2}$

⑥ xh

① $3a$

② $10000-1200x$

③ $5000 \times \dfrac{100-x}{100}$

④ $50a$

⑤ $800a+1000b$

⑥ $5 \times \dfrac{x(100-y)}{100}$

① $80t$ (km)

② $\dfrac{a}{4}$ (시간)

③ $100t$ (km)

④ $\dfrac{50}{x}$ (m/초)

⑤ $\dfrac{100}{a}$ (시간)

⑥ $\dfrac{500}{t}$ (m/초)

① $\dfrac{7x}{100}$ (g)

② $\dfrac{100a}{100+a}$ (%)

③ $\dfrac{100x}{200+x}$ (%)

④ $\dfrac{3a}{100}$ (g)

⑤ $\dfrac{500}{a+5}$ (%)

⑥ $\dfrac{100x}{50+x}$ (%)

22쪽

① -3 　② 11

③ 5 　④ 21

⑤ 4 　⑥ -4

23쪽

① 12

② $-\dfrac{4}{5}$

③ -8

④ 9

⑤ -51

⑥ $-\dfrac{12}{5}$

⑦ -3

24쪽

① 10 m

② 7 °C

③ 초속 340 m

④ 100

⑤ 20 °C

2주차 - 식의 계산

26쪽

① -12a 　② 4y

③ -3a 　④ 10a

⑤ -20y 　⑥ -16b

⑦ 6x 　⑧ 10b-15

27쪽

① -10x+4 　② $\dfrac{1}{2}-\dfrac{y}{3}$

③ 6a-2 　④ -6x-9

⑤ -4a-3 　⑥ 3x+2

⑦ -2x+3 　⑧ 8b-12

① $-a+2$
② $2x-6$

③ $x-2$
④ $-2x+1$

⑤ $-3a+1$
⑥ $6a+3b$

⑦ $\dfrac{a}{4}+\dfrac{b}{4}$
⑧ $2x-3$

⑨ $6a+12$
⑩ $4x+8y$

⑪ $\dfrac{a}{b}-\dfrac{5}{b}$
⑫ $-6x+4$

⑬ $3x-10$
⑭ $\dfrac{4x}{3}-4$

① $-x+2$
② $5y-\dfrac{4}{15}$

③ $-9x+5$
④ $\dfrac{13b}{12}-3$

⑤ $5a+4$
⑥ $-3y-3$

⑦ $2a-3$

⑧ $3a+1$

⑨ $3x+2$

⑩ $-7x-2$

① $-2a+15$

② $8x+2$

③ $4y+12$

④ $11a-1$

① $4x$
② $-9a$

③ $-9y+9$
④ $-4x$

⑤ $-5a+5$
⑥ $-2+\dfrac{x}{4}$

⑦ $\dfrac{7x}{12}+\dfrac{1}{4}$

⑧ $2-4b$

① $4x+2$
② $-\dfrac{11x}{6}-\dfrac{7}{6}$

③ $-3x+6y-\dfrac{5}{2}$
④ $3x+2y$

⑤ $-5b$
⑥ $\dfrac{x}{6}-\dfrac{11}{6}$

⑦ $1.5a+0.6b-3$

⑧ $\dfrac{5x}{12}+\dfrac{7}{6}$

⑨ $1.7a+1.8$

⑩ $\dfrac{-x}{12}+\dfrac{19}{12}$

① $-2x+4$

② $5a-14$

③ $11x-11$

④ $-5x+17$

⑤ $2x-1$

⑥ $-5x+13$

⑦ $10x-21$

① $-3x$: $-x+1$ | $-2x-1$

② $-3b+8$: $2b+2$ | $-5b+6$

③ 3 : $3y+6$ | $-3y-3$

④ $a-1$: $-a+5$ | $2a-6$

① $\dfrac{7x+3}{4}$

② $\dfrac{13a-5}{12}$

③ $\dfrac{y-5}{4}$

④ $\dfrac{b+1}{6}$

① $\dfrac{x-11}{6}$

② $\dfrac{4x-3}{6}$

③ $\dfrac{-x-1}{6}$

④ $\dfrac{-x+11}{12}$

⑤ $\dfrac{-2x+7}{5}$

⑥ $\dfrac{8x+2}{3}$

⑦ $\dfrac{x+17}{12}$

① $\dfrac{-11x+28}{6}$

② $\dfrac{23x-6}{12}$

③ $\dfrac{3x+1}{2}$

④ $\dfrac{-2x+1}{7}$

⑤ $\dfrac{8x-1}{3}$

⑥ $\dfrac{10x-33}{20}$

⑦ $\dfrac{4x-3}{12}$

① $3x+3$

② $-3x+1$

③ $-x+2$

④ $4x+5$

⑤ $10x-10$

⑥ $5x-1$

① $x+2$

② $-3x-1$

③ $8x+5$

④ $3x-4$

⑤ $-x-4$: -7 | $3x$

⑥ $-x-9$: $2x+16$ | $x-12$

① $a+10$

② $-x+6$

③ $-13x+13$

④ $-2x+11$

⑤ $-9x+8$

3주차 - 도전! 계산왕

① $-x+3$ 　② $8x-2$

③ $1.9a+2$ 　④ $3b+\dfrac{1}{6}$

⑤ $a+8$ 　⑥ $\dfrac{7x-9}{4}$

⑦ $16b+5$ 　⑧ $\dfrac{4y+7}{6}$

⑨ $-7a-3$

⑩ $\dfrac{a+13}{6}$

⑪ $\dfrac{-5x+5}{4}$

① $7x-1$ 　② $x+4$

③ $0.3a+0.9$ 　④ $-b+\dfrac{1}{4}$

⑤ $-2a+4$ 　⑥ $\dfrac{9x-2}{12}$

⑦ $-2b+8$ 　⑧ $\dfrac{9y+4}{10}$

⑨ $13a+4$

⑩ $\dfrac{7a-8}{6}$

⑪ $\dfrac{-7x-3}{20}$

① $7a+1$ 　② $4x+4$

③ $6a+2$ 　④ $-3b+\dfrac{5}{6}$

⑤ $16a-13$ 　⑥ $\dfrac{12x-11}{8}$

⑦ $12b+3$ 　⑧ $\dfrac{-5y-1}{9}$

⑨ $3a-21$

⑩ $\dfrac{9a-16}{15}$

⑪ $\dfrac{7x-25}{18}$

① $3a-1$ 　② $9x+2$

③ $3.5a-6$ 　④ $6b+\dfrac{11}{10}$

⑤ $13a+14$ 　⑥ $\dfrac{3x+1}{15}$

⑦ $2b-11$ 　⑧ $\dfrac{4y-4}{3}$

⑨ $-16a+7$

⑩ $2a-1$

⑪ $\dfrac{-33x-29}{20}$

① $3a-3$ ② $-3x+8$

③ $8a+4.5$ ④ $2b+\dfrac{9}{10}$

⑤ 1 ⑥ $\dfrac{-13x+1}{6}$

⑦ $9b-8$ ⑧ $\dfrac{13}{6}$

⑨ $8a-10$

⑩ $-2a+2$

⑪ $3x+\dfrac{1}{2}$

① $4a+14$ ② $3x-1$

③ $-1.3a-1.5$ ④ $-5b+\dfrac{1}{10}$

⑤ $a-3$ ⑥ $\dfrac{-7x+15}{20}$

⑦ $8b+8$ ⑧ $\dfrac{15y+10}{12}$

⑨ $-7a+3$

⑩ $\dfrac{-40a+27}{15}$

⑪ $\dfrac{-2x+19}{5}$

① $-6a-8$ ② $7x-7$

③ $3a-0.5$ ④ $-2b+\dfrac{9}{20}$

⑤ $-3a-7$ ⑥ $\dfrac{7x-25}{12}$

⑦ $9b+10$ ⑧ $\dfrac{6y-13}{10}$

⑨ $-7a+12$

⑩ $\dfrac{-8a+3}{8}$

⑪ $3x$

① $4a+5$ ② $x-6$

③ $1.9a-3.7$ ④ $-5b+\dfrac{5}{8}$

⑤ $-10a+3$ ⑥ $\dfrac{7x+3}{15}$

⑦ $6b+12$ ⑧ $\dfrac{6y-13}{10}$

⑨ $10a+11$

⑩ $\dfrac{-2a-23}{12}$

⑪ $\dfrac{3x-4}{2}$

① $-12a+16$ ② $x+2$

③ $10a-5$ ④ $-5b+\dfrac{1}{4}$

⑤ $8a-1$ ⑥ $\dfrac{11x-11}{20}$

⑦ $-27b-31$ ⑧ $\dfrac{19y+19}{14}$

⑨ $-13a+10$

⑩ $\dfrac{13a}{10}+\dfrac{9}{5}$

⑪ $\dfrac{88x-67}{30}$

① $-5a-1$ ② $4x-5$

③ $-2.5a+6.5$ ④ $3b+\dfrac{13}{8}$

⑤ $-2a+24$ ⑥ $\dfrac{10x-1}{4}$

⑦ $7b+12$ ⑧ $\dfrac{y+8}{18}$

⑨ $3a-1$

⑩ $\dfrac{-a+3}{4}$

⑪ $\dfrac{32x+13}{16}$

4주차 - 등식의 성질과 이항

① -3　　② 0　　③ 3

④ 3　　⑤ $\dfrac{4}{3}$　　⑥ 1

⑦ 2　　⑧ -5　　⑨ 9

① 양변에 1을 더하면
　 양변을 2로 나누면

② 양변에 2를 빼면
　 양변에 3을 곱하면

① 양변에 6을 더하면

② 양변에 2를 빼면

③ 양변을 2로 나누면

④ 양변을 3으로 나누면

⑤ 양변에 4를 빼면
　 양변에 4를 곱하면

⑥ 양변에 4를 더하면
　 양변을 7로 나누면

⑦ 양변에 5를 더하면
　 양변에 6을 곱하면

① $x=-1$　　② $x=1$

③ $x=2$　　④ $x=4$

① $x=-1$　　② $x=18$

③ $x=0$　　④ $x=3$

⑤ $x=-6$　　⑥ $x=-3$

⑦ $x=\dfrac{7}{4}$　　⑧ $x=1$

⑨ $x=-8$　　⑩ $x=-3$

⑪ $x=-1$　　⑫ $x=2$

⑬ $x=5$　　⑭ $x=-6$

① $x=12$　　② $x=21$

③ $x=4$　　④ $x=-11$

⑤ $x=-\dfrac{1}{2}$　　⑥ $x=-1$

⑦ $x=1$　　⑧ $x=\dfrac{3}{2}$

⑨ $x=-3$　　⑩ $x=30$

⑪ $x=4$　　⑫ $x=-\dfrac{3}{5}$

⑬ $x=1$　　⑭ $x=30$

① $3x, 2$

  $-2, -4$

  2

② $3x. 4$

  $-1, 1$

  -1

③ $x, 1$

  $-\dfrac{2}{3}, 5$

  $-\dfrac{15}{2}$

④ $3x, 3$

  $-\dfrac{7}{2}, 4$

  $\dfrac{8}{7}$

① $x=-1$ ② $x=\dfrac{3}{4}$

③ $x=-\dfrac{11}{2}$ ④ $x=-\dfrac{1}{2}$

⑤ $x=-2$ ⑥ $x=18$

⑦ $x=-1$ ⑧ $x=1$

⑨ $x=\dfrac{9}{2}$ ⑩ $x=\dfrac{1}{2}$

⑪ $x=\dfrac{9}{2}$ ⑫ $x=2$

⑬ $x=-\dfrac{1}{3}$ ⑭ $x=-4$

① $x=2$ ② $x=4$

③ $x=\dfrac{2}{5}$ ④ $x=\dfrac{23}{2}$

⑤ $x=10$ ⑥ $x=-4$

⑦ $x=8$ ⑧ $x=5$

⑨ $x=7$ ⑩ $x=\dfrac{8}{3}$

⑪ $x=-\dfrac{7}{3}$ ⑫ $x=-\dfrac{6}{11}$

⑬ $x=-\dfrac{9}{2}$ ⑭ $x=2$

① $x=-15$ ② $x=4$

③ $x=1$ ④ $x=-2$

⑤ $x=-1$ ⑥ $x=-\dfrac{1}{12}$

⑦ $x=6$ ⑧ $x=-6$

⑨ $x=0$ ⑩ $x=\dfrac{15}{4}$

⑪ $x=\dfrac{4}{7}$ ⑫ $x=-30$

⑬ $x=-12$ ⑭ $x=-\dfrac{3}{2}$

① $x=-2$ ② $x=-1$

③ $x=12$ ④ $x=-\dfrac{1}{2}$

⑤ $x=1$ ⑥ $x=4$

⑦ $x=1$ ⑧ $x=\dfrac{3}{2}$

⑨ $x=-7$ ⑩ $x=-30$

⑪ $x=-3$ ⑫ $x=-\dfrac{120}{17}$

⑬ $x=-63$ ⑭ $x=-32$

65쪽

(-1) $2-3x=5$	(-1) $3x+7=5-x$	(0) $5+3x=-2x+6$
(1) $2x-6=-2$	(2) $2x-1=x-8$	(3) $2(x-1)+3=3x-2$
(2) $5x-2=7$	(3) $2x+7=x+4$	(-3) $2x+9=3$
$\left(\frac{1}{3}\right)$ $3-4x=5x$	(8) $3(x-5)=x+1$	(-3) $-2(x-3)=3(x-1)$
(-1) $3x=5x+2$	(-3) $3x+7=4x-7$	(8) $7-3x=2x-33$
(-2) $2(4-6x)=-16$	(-2) $-2(x-1)=x+8$	(21) $1+3(x+4)=4(x-2)$

66쪽

$2x=1-2x$	$3x+1=-1-3x$ ○	$2(x-1)=2x-2$ ○
$3-x=x-3$	$2x=4$	$4x=4+x$
$2+3x=5x$ ○	$5=x+7$	$2(x+3)=2x+6$ ○
$x+6=-7-7(x-1)$ ○	$x+x=2$	$(3x+6)\div3=x+2$ ○
$x+2=4x$	$3(2x-1)=6x-3$ ○	$3x+7=5-x$
$2x+11=x-8$	$6+2x=-4x-7$	$2(x-2)+4=3x-5$

67쪽

① 2　② -12

③ $\dfrac{1}{2}$　④ -6

⑤ 2　⑥ $-x$

⑦ -2　⑧ 4

⑨ 9　⑩ 14

⑪ $-\dfrac{5}{2}$　⑫ 7

68쪽

① $a=-2, b=3$　② $a=-5, b=-4$

③ $a=-3, b=3$　④ $a=-7, b=-4$

⑤ $a=-2, b=3$　⑥ $a=-3, b=-\dfrac{1}{2}$

⑦ $a=2, b=4$　⑧ $a=-\dfrac{1}{3}, b=-\dfrac{9}{2}$

⑨ $a=-3, b=2$　⑩ $a=-1, b=-8$

5주차 - 일차방정식의 풀이

70쪽

① $x=7$　② $x=3$

③ $x=5$　④ $x=-\dfrac{2}{5}$

71쪽

① $x=3$　② $x=-\dfrac{2}{3}$

③ $x=3$　④ $x=-\dfrac{3}{10}$

⑤ $x=2$　⑥ $x=4$

① $x=6$ ② $x=-7$

③ $x=4$ ④ $x=20$

⑤ $x=3$ ⑥ $x=\dfrac{7}{6}$

⑦ $x=-4$ ⑧ $x=1$

⑨ $x=-10$ ⑩ $x=-1$

① $x=-\dfrac{1}{2}$ ② $x=-2$

③ $x=13.2$ ④ $x=\dfrac{17}{4}$

⑤ $x=-5$ ⑥ $x=9$

⑦ $x=-2$ ⑧ $x=\dfrac{13}{9}$

⑨ $x=\dfrac{11}{2}$ ⑩ $x=-9$

$2(x+1)=2+2x$	$3(-2x+1)=4(x-1)$
$5(x-8)=-5x-8$	$2x+1=2x-3$
$2(2x-1)=4x+5$	$4x-1=x+8$
$3(2x+1)=6x+3$	$-2x+4=2(2-x)$
$3(2x-3)=2(3x+1)$	$2x+3x=5$

① $x=\dfrac{3}{13}$ ② $x=8$

③ $x=-14$ ④ $x=-\dfrac{5}{2}$

① $x=\dfrac{9}{2}$ ② $x=2$

③ $x=-\dfrac{3}{2}$ ④ $x=15$

⑤ $x=-4$ ⑥ $x=-2$

⑦ $x=\dfrac{8}{3}$ ⑧ $x=-5$

① $a=5$ ② $a=1$

③ $a=-2$ ④ $a=6$

⑤ $a=9$ ⑥ $a=-7$

① $a=3$ ② $a=5$

③ $a=2$ ④ $a=-3$

⑤ $a=4$ ⑥ $a=-5$

① $a=12$

② $a=-5$

③ $a=7$

④ $a=\dfrac{1}{2}$

⑤ $a=-1$

6주차 - 도전! 계산왕

① $x=4$ ② $x=-9$

③ $x=-2$ ④ $x=5$

⑤ $x=9$ ⑥ $x=-1$

⑦ $x=-1$

⑧ $x=-\dfrac{2}{7}$

① $x=\dfrac{5}{2}$ ② $x=2$

③ $x=-\dfrac{14}{3}$ ④ $x=-3$

⑤ $x=-3$ ⑥ $x=7$

⑦ $x=5$

⑧ $x=4$

① $x=-1$ ② $x=-1$

③ $x=5$ ④ $x=2$

⑤ $x=24$ ⑥ $x=\dfrac{8}{9}$

⑦ $x=5$

⑧ $x=-\dfrac{41}{9}$

① $x=7$ ② $x=2$

③ $x=-24$ ④ $x=16$

⑤ $x=4$ ⑥ $x=\dfrac{3}{2}$

⑦ $x=\dfrac{1}{2}$

⑧ $x=6$

① $x=4$ ② $x=-1$

③ $x=4$ ④ $x=-7$

⑤ $x=-18$ ⑥ $x=-47$

⑦ $x=-3$

⑧ $x=-\dfrac{3}{5}$

① $x=\dfrac{4}{13}$ ② $x=-3$

③ $x=\dfrac{7}{6}$ ④ $x=22$

⑤ $x=\dfrac{3}{2}$ ⑥ $x=-3$

⑦ $x=\dfrac{5}{6}$

⑧ $x=-31$

① $x=7$ ② $x=-3$

③ $x=2$ ④ $x=\dfrac{14}{3}$

⑤ $x=4$ ⑥ $x=-3$

⑦ $x=\dfrac{35}{13}$

⑧ $x=1$

① $x=-4$ ② $x=-3$

③ $x=-7$ ④ $x=1$

⑤ $x=20$ ⑥ $x=3$

⑦ $x=\dfrac{6}{7}$

⑧ $x=\dfrac{3}{17}$

① $x=-5$ ② $x=\dfrac{1}{2}$

③ $x=1$ ④ $x=-5$

⑤ $x=6$ ⑥ $x=2$

⑦ $x=-2$

⑧ $x=2$

① $x=2$ ② $x=3$

③ $x=1$ ④ $x=1$

⑤ $x=8$ ⑥ $x=-9$

⑦ $x=-1$

⑧ $x=\dfrac{41}{33}$

Memo